CHRONIQUES D'UNE
SORCIÈRE
D'AUJOURD'HUI

1. Isabelle

CHRONIQUES D'UNE SORCIÈRE D'AUJOURD'HUI

1. Isabelle

Angèle Delaunois

ÉDITIONS
MICHEL
QUINTIN

Catalogage avant publication de Bibliothèque et Archives
nationales du Québec et Bibliothèque et Archives Canada

Delaunois, Angèle

Chroniques d'une sorcière d'aujourd'hui

Sommaire: t. 1. Isabelle.

ISBN 978-2-89435-488-9 (v. 1)

I. Titre. II. Titre: Isabelle.

PS8557.E433C47 2010   C843'.54   C2010-941919-7
PS9557.E433C47 2010

Illustration de la page couverture: Magali Villeneuve
Conception de la couverture et infographie:
                    Marie-Ève Boisvert, Éditions Michel Quintin

La publication de cet ouvrage a été réalisée grâce au soutien
financier du Conseil des Arts du Canada et de la SODEC.

De plus, les Éditions Michel Quintin reconnaissent l'aide
financière du gouvernement du Canada par l'entremise du
Fonds du livre du Canada pour leurs activités d'édition.

Gouvernement du Québec – Programme de crédit d'impôt
pour l'édition de livres – Gestion SODEC

ISBN 978-2-89435-488-9

Dépôt légal – Bibliothèque et Archives nationales du Québec, 2010
Dépôt légal – Bibliothèque et Archives Canada, 2010

Éditions Michel Quintin
C.P. 340, Waterloo (Québec)
Canada J0E 2N0
Tél.:   450 539-3774
Téléc.: 450 539-4905
editionsmichelquintin.ca

10 - G A - 1

Imprimé au Canada

*À Martine qui m'a fait connaître
le manoir de Bellotte*

Et à Irène qui m'en a fait sortir.

PROLOGUE

Depuis qu'on est revenus de Bretagne, je ne suis plus la même. J'essaie de vivre ma vie comme d'habitude, mais il s'est passé tant de choses étranges que je me traîne comme une âme en peine. J'ai du mal à encaisser tout ce qui nous est arrivé en quelques jours, tout ce que j'ai appris sur moi-même et sur les autres, tout ce que j'ai dû faire sans y être préparée. Max, mon frère jumeau, me regarde souvent comme une «bibitte» étrange. Pour la première fois de notre vie, je ne peux plus tout lui dire. Je crois que, sans s'en rendre compte, il ne me pardonne pas cette brisure dans notre complicité.

Ce n'était pas la première fois qu'on partait tous les deux, mais c'était sûrement la première fois qu'on allait aussi loin, Max et moi. On n'est pas des vrais jumeaux puisqu'on est fille et garçon, mais on a toujours été très proches et on s'est toujours compris au moindre clin d'œil. Maintenant, je crois qu'on s'est un peu perdus quelque part, sur une petite route de Bretagne.

Pourtant, tout avait super bien commencé. Le voyage au long cours idéal pour deux jeunes Montréalais de dix-sept ans comme nous.

UN

Nos parents, Jacinthe et Pierre, sont tout ce qu'il y a de plus normaux. Ils sont profs tous les deux. Pas d'autre frère ni de sœur dans le décor. On est les uniques et préférés de nos parents. Tous les quatre, on habite un bungalow dans un quartier tranquille de Montréal, assez hideux, mais comme toutes les maisons de la rue sont à peu près semblables, on a fini par s'y habituer. Ma mère compense la laideur de l'environnement en bichonnant son jardin qui est vraiment formidable en toutes saisons, même en hiver. Ce qui est un exploit, on en est tous convaincus !

Dans notre famille proche, il y a quand même quelques spécimens humains intéressants qui ont contribué à façonner notre personnalité. Pierre

Legall, notre papa, est né en France. Sa mère est morte alors qu'il était encore tout bébé et notre grand-père Legall, pour échapper à son chagrin, a pris son gamin sous le bras et s'est embarqué pour l'autre côté du monde, dans cette Amérique française qu'il avait toujours rêvé de découvrir. Comme il ne s'est jamais remarié et s'est entêté à élever son fils seul, on se paie un petit accent français légèrement pointu et des tournures de phrases héritées du vieux continent. Ça nous a souvent valu des réflexions un peu acides à l'école, mais on s'en fout, Max et moi, parce qu'on a toujours trouvé que c'était un avantage d'être des «hybrides». Grand-papa Legall est mort il y a une quinzaine d'années et on n'a vraiment pas beaucoup de souvenirs de lui.

Du côté de notre mère, Jacinthe Dubois, une Québécoise pure laine, c'est assez intéressant aussi puisque ses deux parents sont des vedettes. Notre grand-père Théo est un photographe animalier célèbre qui a parcouru les deux hémisphères dans tous les sens afin de photographier les bestioles les plus rares. Je devrais plutôt dire «était» car Théo a mystérieusement disparu il y a huit ans, au cours d'un voyage en Afrique soi-disant sans histoire, comme il en avait déjà fait des dizaines. Aucune nouvelle de lui depuis... comme s'il s'était évaporé...

comme s'il avait tout d'un coup été rayé de la carte. Un vrai mystère qu'on n'a jamais accepté.

Ma grand-mère Macha, qu'on appelle affectueusement Mamicha, est une artiste peintre. Elle imagine d'étranges portraits de femmes entourées de fleurs, qui ne sourient jamais, et dont les yeux immenses obsèdent les spectateurs. Faut aimer! Mais comme elle expose ses tableaux dans les galeries les plus réputées des Amériques et de l'Europe et qu'elle en tire pas mal de dollars, on en conclut qu'il y a des amateurs pour ce genre de délire. Comme dirait papa, Mamicha est «un drôle de pistolet». Elle est un peu bizarre sur les bords et, avec ses cheveux roux, elle a l'air d'une sorcière irlandaise. Il paraît que je lui ressemble puisque je tiens d'elle ma tignasse poil-de-carotte et mes grands yeux qui hésitent entre le vert et le gris.

À part ça, notre vie quotidienne est sans histoire. Presque trop plate. Pas de drames à l'horizon, de cris, de menaces, de hurlements, de divorce sanglant... le calme, quoi! L'ennui, parfois. Il y a bien quelques coups de gueule de temps en temps, mais pas de quoi en faire une salade. Très tôt, nos «vieux», comme on les appelle pour les achaler, nous ont laissé la bride sur le cou. Rassurés parce qu'on était toujours ensemble, capables de se défendre l'un l'autre. On a presque toujours fait ce qu'on a voulu. Max est baraqué comme un quart-arrière de football américain et ne se laisse pas piler sur les orteils. Comme il a vingt centimètres de plus que moi, je l'appelle souvent Big Max pour le taquiner. Ou encore, mon Maxou. Lui, il m'appelle rarement Isabelle, il préfère Isa ou Frangine. Quant à moi, j'ai la langue bien pendue et on ne peut pas me faire passer n'importe quel sapin. Ayant aussi hérité de la créativité de ma grand-mère, je trouve toujours LA solution ou LA répartie qui va nous tirer d'affaire.

Mon frère et moi, on a passé tous nos étés dans des camps de vacances. Des étés bénis. On adorait ça, on s'amusait tellement ! On a fait des petits treks en groupe, des excursions en kayak, du camping sauvage. Notre belle complicité s'est renforcée au fil des ans.

On a atteint nos dix-sept ans en avril dernier. Pour souligner dignement cet événement, on s'est planifié un premier voyage au long cours en France, le pays d'origine de notre grand-père. Chez nous, à part papa qui avait traversé la mer, mais qui n'en avait aucun souvenir, personne ne s'était encore aventuré de «l'autre bord». C'était tout un défi ! Nos parents se sont un peu fait tirer l'oreille, mais pas bien longtemps. Ils nous ont donné leur bénédiction, à condition qu'on ramasse nous-mêmes l'argent nécessaire au voyage et que ça ne nuise pas à nos études.

Max et moi, on a travaillé comme des débiles. Tondre des gazons, laver des vitres, garder des petits monstres, trimer au supermarché à placer des boîtes sur les étagères ou humidifier les salades, organiser une vente de garage, liquider sur Internet les vieux vinyles des parents... et j'en passe! On s'est privés de tout pour arrondir nos économies, mais on a réussi à accumuler deux mille dollars et quelques en six mois. De quoi se payer les billets d'avion les moins chers, plusieurs nuits dans des auberges de jeunesse les soirs où il ne serait pas possible de camper, nos repas, bien sûr, et quelques billets d'autocar ou de train quand on serait tannés de faire du pouce le long des routes départementales. On avait déjà tout le matériel de camping nécessaire, la tente, les sacs de couchage, le petit réchaud, de quoi faire la bouffe... C'était toujours ça de pris.

Restait à choisir l'itinéraire. On en a potassé un coup et on a eu du mal à se mettre d'accord. Au début, Big Max voulait absolument passer par Paris et aller ensuite faire de l'escalade dans les Alpes. C'était pas mon truc! Moi, j'avais lu un livre sur les Cathares. J'aurais aimé descendre vers le Sud de la France et visiter les citadelles vertigineuses des

Parfaits, ces châteaux impossibles, perchés sur des pics imprenables entre le ciel des anges et la terre des brutes. Et puis, on n'avait pas assez de sous pour se payer Paris. Trop de choses à voir, trop de tentations à la fois. On ne pouvait pas tout faire. Pas question de cultiver des frustrations.

Finalement, on s'est mis d'accord sur la Bretagne. C'est dans cette province que notre grand-père paternel est né. On allait donc faire une sorte de pèlerinage, de retour aux sources, et découvrir par la même occasion la terre de Merlin, de la fée Viviane, du roi Arthur et des chevaliers de la Table ronde. Notre adolescence avait été envoûtée par les exploits de Lancelot, par la passion brûlante de Tristan pour son Iseult. La forêt de Brocéliande, les landes des Korrigans, le souffle des druides dans les chênes centenaires, les fées des fontaines, les vieux calvaires de pierre aux carrefours des routes, tout cela existait encore s'il fallait en croire les guides touristiques. Sac au dos, on allait marcher dans les pas de héros plus magnifiques encore que leurs légendes. On allait retrouver leurs amours et leurs quêtes. On allait se baigner dans les eaux mystérieuses qui les avaient baptisées. Quelque part, on espérait en revenir meilleurs. Ayant effleuré leurs gloires, on espérait en sortir grandis. Au moins un peu! Est-ce que je sais, moi!

On voyage autant avant, à tout préparer, à essayer de tout prévoir, et ce temps de l'attente et de tous les espoirs est béni. Finalement, le jour du départ est arrivé. Même si on pensait qu'il ne se pointerait jamais. Quinze jours de voyage! Juste Max et moi. Notre itinéraire était fin prêt. Ça donnait à peu près ça :

Arrivée à Nantes. Deux jours d'exploration.

Prendre l'autobus pour Saint-Nazaire.

Visiter La Baule, Guérande, les marais salants, l'étang de la Brière;

Vannes, la vieille ville, Belle-Île-en-Mer (si on a le temps);

Quimper, Saint-Brieuc, Perros-Guirec.

Au retour vers Nantes, s'arrêter au Pays de Brocéliande.

Budget (responsabilité de Maxime): 1 000 $ (sans compter les billets d'avion).

On devrait y arriver mais faudra pas faire de folies.

Moyens de transport locaux: en autocar de campagne, en train et sur le pouce (en dernier recours et sans le dire à papa).

Durée du voyage: 15 jours, porte à porte, du 2 au 17 juillet.

Pour Max et moi, c'était vraiment le bonheur, LA grande aventure qui commençait. On ne pouvait pas savoir à quel point!

DEUX

Nos sacs à dos pesaient un bon poids, même si on n'avait emporté que le strict nécessaire. À la dernière minute, maman y avait rajouté une trousse de premiers soins dans laquelle tout était prévu, au cas où, et papa nous avait refilé une enveloppe contenant 300 $ supplémentaires. Il trouvait que notre bourse était un peu légère pour un aussi lointain voyage. Si seulement ils avaient su !

À l'aéroport, les adieux à nos vieux ont été plutôt pénibles. On ne savait plus quoi se dire. Toutes les recommandations avaient été faites plutôt dix fois qu'une. Maman avait la larme à l'œil. Papa était fébrile et nous assommait de farces plates. Max et moi, on n'avait qu'une seule envie : que l'horloge nous expédie au plus vite dans l'avion et qu'on s'envole de l'autre côté du monde. Juste avant de passer la barrière, maman m'a serrée dans ses bras et, en m'embrassant les cheveux, elle m'a glissé en douce : «Prends bien soin de ton frère!» J'ai su plus tard qu'elle avait dit exactement la même chose à Max à mon sujet. J'ai encore devant les yeux son beau visage brouillé par l'inquiétude de laisser ses deux moineaux prendre leur envol aussi loin d'elle.

Finalement, on est partis. Follement légers quand on a mis les pieds dans l'avion. Tout était nouveau pour nous : la cabine, le poste de pilotage où on a jeté un œil curieux en entrant, les agents de bord qui semblaient si sûrs d'eux, le petit écran de télé devant chaque siège, les consignes de sécurité, le décollage brutal où on s'est sentis aplatis comme des crêpes dans nos sièges, le ronron rassurant des réacteurs... Même le plateau-repas avec son plat de nouilles en sauce tomate nous a semblé un délice raffiné alors qu'on mange la même chose au moins une fois par semaine chez nous... Parfaitement rassurés, on a dormi comme des marmottes, tassés dans nos sièges étroits.

On était en pleine forme à l'atterrissage à Nantes. On a pris la navette pour le centre-ville et on s'est rendus à pied jusqu'à l'auberge de jeunesse avec notre carte routière pour réserver deux places dans le dortoir. On y a laissé tout notre barda et on est partis tout de suite explorer la ville. Notre voyage proprement dit commençait. Comme je suis un peu trop dépensière sur les bords, on avait convenu que Max s'occuperait des comptes et qu'il garderait l'argent et les passeports dans la pochette de toile qu'il portait à même la peau, sous sa chemise. Moi, je devais faire respecter notre itinéraire car je me débrouillais beaucoup mieux que lui pour lire les cartes, repérer les points cardinaux, et trouver les horaires de trains et d'autobus. Cette première journée à Nantes a été un émerveillement total, et les berges de l'Erdre ont été témoins de plusieurs fous rires. Notre voyage commençait super bien.

Le but ici n'est pas de raconter en détail tout ce qu'on a fait. La météo était de notre côté. Beau temps mur à mur. On n'avait jamais vu une mer si bleue, autant de petits ports de pêche aussi actifs que pittoresques, autant de vieilles villes aux pavés ronds où sommeillait l'histoire. Tout était magique. On était bien accueillis partout. On s'est même fait plusieurs amis avec lesquels on a partagé les petites routes tranquilles et les chemins creux. Il n'y avait qu'à demander pour planter notre tente dans un pré ou sur un bout de lande. On achetait ce qu'il nous fallait dans les marchés publics et, grâce à Max, on respectait scrupuleusement notre budget sans nous priver de rien. La bouffe était géniale. On se faisait des festins somptueux pour quelques euros seulement. Entre les voitures qui nous prenaient sur le bord de la route, les trajets en autocar ou en train et les kilomètres à pied sur les petites routes secondaires, on a fait tout un bout de chemin. On avait l'impression de faire le tour de la terre et d'être partis depuis une éternité. Enfin presque! C'était exactement ça qu'on était venus chercher.

Notre super *trip* a duré dix jours très exactement. On avait encore cinq jours à tirer quand tout s'est obscurci.

On était en rase campagne, au milieu des champs de betteraves, de colza et de tournesols, entre Merdrignac et Josselin. On espérait arriver à Ploërmel avant la nuit et on avait encore une bonne trentaine de kilomètres à se taper, à pied, à cheval, en auto ou en moto – au choix – avant d'y arriver, lorsque le ciel s'est couvert de grosses nuées, pas sympas du tout. On a pressé le pas. J'avais lu quelque part que le temps changeait vite en Bretagne, mais je n'aurais jamais pensé que ça pouvait se faire aussi sauvagement. En moins d'une demi-heure, on se serait crus au crépuscule tant la noirceur avait envahi l'espace. Le ciel était gris foncé. Juste avant les premiers éclairs, le vent s'est levé brusquement. Les arbres sont devenus comme fous et se sont mis à gémir comme des damnés, retroussant leurs feuilles pour se protéger de la tempête. Des processions d'oiseaux noirs s'envolaient des champs et rayaient le ciel de leurs formations bruyantes avant de se réfugier je ne sais trop où. Eux, au moins, ils connaissaient un coin pour s'abriter, ce qui n'était pas notre cas.

Et l'orage s'est déchaîné. En quelques minutes, même si on avait pris le temps de mettre nos impers et de protéger nos sacs à dos avec une housse imperméable, Max et moi on a été transformés en lavettes, l'eau du ciel en colère nous dégoulinant dans les yeux et le cou, nos espadrilles de marche crachant l'eau par tous leurs trous d'aération. J'avais la chienne, comme on dit. Max m'a prise par la main. Lui non plus, il n'en menait pas large.

On n'avait pas d'autre choix que de marcher à toute allure, droit devant nous sur cette petite route inondée afin de trouver au plus vite une grange, un grenier, un garage, une maison, un abri quelconque... n'importe quoi qui nous abriterait de la folie furieuse du ciel déchaîné. Et, évidemment, la route restait désespérément vide, pas une seule voiture charitable en vue pour nous rescaper. À croire que tous les indigènes du coin étaient déjà claquemurés chez eux.

Je ne sais pas combien de temps on a cheminé ainsi, nos mains crispées l'une dans l'autre. L'orchestre du ciel était déchaîné. Il y avait bien trop de vacarme pour qu'on puisse se parler. Mon cœur battait à cent à l'heure. Je peux bien l'avouer maintenant, j'avais une trouille bleue.

À un moment donné, la foudre a déchiré un nuage à la verticale et elle s'est abattue sur un grand tilleul, fendant son tronc en deux, à moins de cent mètres de nous. J'ai crié comme une débile. Le troupeau de vaches qui s'était réfugié dessous s'est éparpillé à toute allure dans la tempête. Entre deux coups de tonnerre, on entendait le concert désespéré de leurs meuglements. Dans d'autres circonstances, on aurait pu en rire.

Des vaches! Donc, il y avait une maison, une ferme, une étable dans les environs. Pas très loin. Il s'agissait de la trouver *rapido presto*.

En fait, c'est plutôt elle qui nous a trouvés. Sur notre gauche, sans qu'on l'ait vu venir, se profila soudain un mur de pierres et, au bout de ce mur, une grille en fer forgé s'ouvrait toute grande sur une allée bordée d'arbres. Un panneau de cuivre jaune nous apparut soudain comme un phare dans le chaos ambiant: «MANOIR DE BELLOTTE. Gîte champêtre.» Sauvés. On était sauvés!

Big Max et moi, on n'a pas hésité une seconde. Au pas de course, on s'est précipités dans l'allée aux arbres torturés par l'orage. On a longé des massifs de fleurs flous. On a dépassé ce qui ressemblait à un garage. J'ai même cru apercevoir une sorte de chapelle. Puis on s'est retrouvés dans une vaste cour recouverte de gravier avec mille flaques d'eau et, premier miracle, tout au bout, on a aperçu une imposante porte de chêne avec, second miracle, l'éclat doré d'une lampe dans une fenêtre, juste à côté.

Max s'est emparé de la petite main de bronze qui servait de heurtoir et s'est mis à frapper comme un enragé sur la porte. Moi, je me suis recroquevillée sur le seuil dans l'espoir futile d'échapper aux paquets de pluie qui dégringolaient toujours avec une fureur qui ne semblait pas vouloir s'apaiser.

Il s'est passé une petite éternité avant qu'une tache rose s'encadre dans la fenêtre de côté. Un visage brouillé par la buée s'est dessiné contre la vitre. Un court instant plus tard, le battant de chêne s'est entrouvert et on s'est engouffrés à l'intérieur sans se faire prier.

— Ah! Mes pauvres enfants! Avec cette tempête, je ne vous avais pas entendus. Entrez. Entrez vite!

On était déjà entrés. La petite dame rose qui nous accueillait nous guidait vers une grande pièce qui s'ouvrait sur la gauche.

— Laissez vos sacs et vos imperméables dans le vestibule. Enlevez vos chaussures et installez-vous au salon. Je vais vous réchauffer du café. Avec un temps pareil, il y a de quoi attraper la mort.

Incroyable! On se serait crus à la maison. Jacinthe, notre mère, aurait pu nous dire exactement la même chose. En vitesse, j'ai sorti une serviette de toilette de mon barda pour éponger mon visage et mes cheveux dégoulinants. Max a fait la même chose et a renoué sa queue de cheval. Un peu plus présentables, mais encore bien humides, on s'est avancés avec hésitation vers le salon annoncé où un feu de bûches pétillait dans une cheminée haute comme moi.

Sidérés. On était sidérés. Pas de doute, on avait atterri tout droit chez Louis XIV. Le salon était immense, à peu près aussi grand que notre maison tout entière, haut de plafond, avec des poutres décorées de guirlandes de fleurs. Tous les murs étaient tendus de tissu jaune pâle, et d'immenses rideaux de velours à pompons ornaient les fenêtres. Il y avait là au moins une bonne cinquantaine de meubles : des fauteuils jaunes comme les murs, de petites tables, un piano bizarroïde, des bahuts et des buffets, d'immenses bouquets de feuillages plus quelques autres bidules à pattes dont l'utilité m'échappait complètement. Sans oublier plusieurs tableaux accrochés qui devaient représenter les ancêtres célèbres de la maison.

Un peu intimidés, on s'est approchés du feu, sans oser s'asseoir de peur de mouiller tout. Sur un des fauteuils, étalé sur une couverture, un chat blanc nous fixait sans ciller de la paupière. Bouche ouverte, Max zyeutait partout avec une intense curiosité. Moi aussi. On n'avait jamais vu un endroit pareil autrement que dans des films d'époque ou à la télé. On avait vraiment atterri dans un château... ou un manoir... ce qui semblait être à peu près la même chose.

La petite dame rose revint au bout de cinq minutes avec un immense plateau chargé d'une appréciable collation. Le café «réchauffé» sentait bon. Dehors, le déluge fouettait toujours les fenêtres, mais on commençait à l'oublier car on était à l'abri.

— Asseyez-vous ! Asseyez-vous ! Faites comme chez vous !

Facile à dire! On n'osait pas et cette gentille dame n'aurait pas été très heureuse si on avait fait comme à la maison. On s'est assis sur le bout des fesses devant la table basse où notre hôtesse avait installé le plateau. Max fixait les biscuits et les galettes avec un regard douloureux d'affamé. Moi, je frissonnais spasmodiquement malgré la chaleur de l'attisée. Le café fut versé avec élégance dans des grands bols en porcelaine.

— Du sucre? Un nuage de lait?

Notre hôtesse poussa vers moi un joli sucrier en argent d'où dépassait une sorte de pince. C'était le moment ou jamais de montrer à cette gentille dame que Jacinthe nous avait bien élevés. Il s'agissait d'être à la hauteur. Je pris l'initiative de servir mon frère qui me lançait des regards pleins de SOS. D'un coup d'œil sévère, je prévins Max de ne pas se précipiter sur les petits gâteaux comme le goinfre qu'il était d'habitude. Il comprit au quart de tour. Si on voulait rester ici pour la nuit, il s'agissait de faire bonne impression.

— Alors! Racontez-moi ce que vous faites par un temps pareil sur la route qui mène à notre coin perdu?

C'était parti! On a donc raconté notre voyage, nos découvertes, nos rêves à cette charmante dame qui semblait ravie de nous recevoir comme de vieilles connaissances. Bien sûr, elle avait vite reconnu à notre accent qu'on venait du Québec, mais elle s'est tout de même mise à délirer quand on lui a confié que c'était notre premier grand voyage. Des Canadiens qui avaient fait le débarquement en Normandie durant la guerre s'étaient arrêtés au manoir avant de reprendre la mer. Elle les appelait «nos sauveurs». Son défunt frère était allé plusieurs fois dans «les Amériques» et elle recevait assez souvent des touristes canadiens qui se refilaient son adresse par Internet depuis qu'elle avait transformé sa maison en *bed and breakfast*.

On arrivait au cœur du sujet qui nous préoccupait. Il s'agissait de savoir s'il restait une petite place libre pour nous loger dans cette immense maison. C'était sans doute beaucoup trop cher pour notre bourse, mais on n'avait vraiment pas envie de retourner sous la bourrasque. Ce fut Max qui aborda le sujet en déployant tout le charme dont il était capable.

— Mais bien sûr, mon petit! Je ne vais sûrement pas vous laisser repartir par un temps pareil. Et puis, vous avez de la chance. Hier, le manoir était complet mais, aujourd'hui, vous êtes mes seuls hôtes de passage. J'ai eu plusieurs annulations, ce qui n'a rien d'étonnant avec cette météo. Alors, c'est entendu, je vous garde!

C'était bien ce qui me semblait. En dehors de cette dame aux cheveux blancs et du chat qui ne nous quittait pas de la pupille, il ne semblait pas y avoir âme qui vive dans cette baraque. Tout de même! L'endroit était tellement chic qu'il était probablement à des années-lumière de notre budget d'étudiant. À la rigueur, on avait les moyens de dormir dans le garage ou dans la grange s'il y en avait une, mais sûrement pas dans une des chambres d'hôtes. Max ne semblait pas avoir conscience du problème. Je me risquai donc à en faire timidement la remarque.

— Ta, ta, ta, ta! Ne vous inquiétez pas pour ça. Vous serez mes invités et, si vous tenez absolument à me payer quelque chose, je vous fais un prix d'ami: trente euros pour la nuit, dîner et petit déjeuner inclus. Ça vous va?

Mon frère et moi, on a échangé un regard interloqué. C'était vraiment l'aubaine du siècle. On n'attire pas les mouches avec du vinaigre. Trente euros! À peu près le prix qu'on aurait payé dans une auberge de jeunesse... pour coucher dans le lit de Louis XIV. Ça ne se refuse pas! À ce moment-là, j'ai ressenti comme un léger malaise, une sorte de brume à la hauteur des yeux, une pesanteur du côté du cœur. Une petite voix me chuchotait qu'il y avait peut-être quelque chose de pas très catholique dans cet accueil bonbon et cette proposition si alléchante, qu'on ferait mieux de reprendre notre barda vite fait et de replonger sans regret dans la tempête. Mais Max avait déjà accepté avec tout un chapelet de remerciements sans que j'aie eu le temps d'ouvrir la bouche. Et puis, pour être franche, j'étais super crevée et il aurait fallu bien plus qu'une vague intuition pour me convaincre de retourner sous les cataractes.

— Vous vous sentez bien, ma chère?

«Ma chère», c'était moi. Les beaux yeux bleus de la gentille dame me dévisageaient avec sollici-tude. Tout son visage exprimait la compassion et la sympathie. Elle semblait deviner mes hésitations. J'ai fini par lui sourire.

— Vous êtes fatigués, je le vois bien. Vous avez fait une longue balade sous l'orage. Suivez-moi, je vais vous montrer votre chambre. J'espère que ça ne vous ennuie pas de dormir dans la même pièce? Tout de même, il y a deux lits. Reposez-vous un peu, faites un brin de toilette et venez me rejoindre au salon vers les dix-neuf heures. Nous dînerons tous les trois, à la bonne franquette!

Une proposition pareille, c'était impossible à refuser. La petite dame nous précéda dans un immense escalier en bois sombre recouvert d'un moelleux tapis aux arabesques colorées, qui débouchait dans un corridor où s'ouvraient plusieurs portes. Max avait harponné tous nos bagages d'une seule main et suivait notre hôtesse avec enthousiasme en montant les marches deux par deux. Chaque chambre portait un nom, inscrit en lettres dorées sur un écriteau de bois verni.

— Je vous donne la chambre de Bellotte. C'est la plus agréable de la maison. Vous verrez, demain matin lorsque la tempête sera calmée, les fenêtres de la pièce ouvrent sur le parc et c'est très joli. Vous serez bien au calme pour récupérer de vos émotions et de vos fatigues.

Et elle sortit de sa poche une clé d'argent.

Une bouffée d'air parfumé à la lavande nous saisit lorsqu'elle ouvrit la porte. Tout d'abord, on pénétrait dans un tout petit vestibule privé. D'un côté, on devinait une salle de bains et, de l'autre, la chambre proprement dite. Notre hôtesse s'empressa d'allumer les lumières et de trottiner jusqu'aux fenêtres pour ouvrir les grands rideaux.

Magnifique! Il n'y a pas d'autres mots pour décrire cet endroit. C'était une chambre de jeune fille du temps passé, telle qu'on peut la rêver. Ici aussi, des poutres décorées au plafond, des murs recouverts de soie bleue, d'immenses fenêtres à petits carreaux où la pluie jouait du tambour, un tapis semblable à un semis de pâquerettes, un coin salon avec une table et deux fauteuils, un immense miroir, un bouquet de plumes artistiquement arrangé dans un vase de bronze. Au milieu de tout cela, un lit à baldaquin impressionnant avec des jupons de dentelle, une courtepointe bleue et une bonne dizaine de coussins et d'oreillers. Le second lit annoncé était caché dans une alcôve fermée par un rideau – bleu, bien sûr – que notre hôtesse s'empressa de nous dévoiler.

— Ainsi, vous aurez chacun votre coin.

Dans l'alcôve qui avait manifestement été installée bien après la chambre, probablement dans un très grand placard ou une garde-robe, on revenait au XXIᵉ siècle. Des étagères de livres, quelques jouets, un lit simple et confortable, une chaise «normale», une table de nuit munie d'une vraie lampe de lecture... J'élus domicile immédiatement dans ce coin paisible qui diffusait une lumière chaleureuse en y déposant mes affaires. Si seulement je m'étais installée dans l'autre lit! Mais je ne pouvais pas deviner ce qui allait se passer par la suite.

La petite dame rose s'évapora dans l'escalier, nous laissant seuls dans la chambre aux merveilles.

Max était planté comme un piquet au milieu de la pièce, subjugué par un immense portrait accroché entre les deux fenêtres.

— T'as vu ça, Frangine ?

J'ai tout de suite deviné qu'il s'agissait de la fameuse Bellotte, celle qui avait donné son nom au manoir. Elle était franchement canon, cette fille, et elle portait bien son nom, même si celui-ci avait tout d'un diminutif. Vêtue d'une longue robe de bal blanche, les yeux charbonneux, les cheveux courts plaqués sur la nuque, elle nous accueillait dans sa chambre avec un sourire énigmatique. En y regardant de plus près, le tableau ne semblait pas aussi ancien que le reste de la pièce. Le fourreau moulant de la jeune femme, sa coiffure à la garçonne, le petit sac perlé caché dans ses mains, le fond uni de la toile contrastant avec le modèle, tout cela semblait assez moderne. Les années folles du siècle dernier, si je me souvenais bien des reproductions du peintre Van Dongen que j'avais vues dans l'encyclopédie des arts de papa et que j'avais vainement essayé de copier.

Qu'est-ce qu'il fichait là, ce tableau qui était pratiquement un anachronisme dans ce décor à la Louis XIV ? Était-ce le portrait de la dernière occupante des lieux ? Sans le savoir, j'avais mis en plein dans le mille.

La salle de bains m'attirait irrésistiblement. Nos campements de fortune ne nous avaient guère offert le loisir de trempettes luxueuses. Douches rapides au mieux, décrassages sommaires la plupart du temps, l'odeur un peu faisandée qui me précédait m'indiquait qu'un bon bain chaud serait d'autant bienvenu qu'il n'attendait que moi et que je grelottais encore de froid.

Grande comme ma chambre à la maison, la salle de bains contenait tout ce dont on peut rêver. Il y avait même deux peignoirs épais comme ça et des serviettes immenses brodées aux armes de la vénérable maison. En moins de deux minutes, je me plongeai dans une mer de bulles, oubliant toutes mes hésitations dans un soupir béat d'absolu contentement. J'ai même failli m'endormir dans l'eau, bercée par le crépitement de la pluie contre les vitres.

À sept heures pile, astiqués comme des sous neufs, nos vêtements les moins froissés sur le dos, on s'est pointés dans le salon. La petite dame rose y était déjà. Elle avait installé le couvert sur une table pliante, à côté du feu. Une soupière en étain, posée près des braises, dégageait un irrésistible parfum de soupe mijotée. Notre dernier repas consistant était déjà loin et la collation de l'après-midi n'avait servi qu'à aiguiser notre appétit. Max fixait bêtement la miche de pain et l'immense pâté en croûte qui nous attendait. Il en tremblait presque de bonheur, cet innocent!

Quel festin! Après la soupe aux légumes du jardin dont Max reprit trois fois en engloutissant une tonne de tartines, on attaqua le pâté en croûte en l'allégeant de quelques feuilles de salade et en le faisant descendre avec plusieurs verres de cidre bouché, archi-nécessaire pour délayer le reste. Pour dessert, des crêpes à la confiture, fines comme des dentelles qu'on a pris le temps de bien savourer, le gros de notre faim étant derrière nous.

La petite dame rose était une hôtesse très agréable qui pratiquait l'art de la conversation à la perfection. Elle avait le talent de nous faire parler, sans révéler grand-chose d'elle-même. On ne savait même pas son nom. Je m'enhardis jusqu'à lui faire part de mes suppositions concernant le nom du manoir et celui de la fameuse Bellotte dont nous occupions la chambre. Qui était-elle, cette fille?

À cette question, son œil se fit plus acéré et, le temps d'un battement de cils, toute chaleur disparut de son regard.

— Oh! C'est une longue histoire, ma chère! Et il est bien trop tard pour vous la raconter ce soir. Demain peut-être! Si vous le voulez bien, je vais aller me coucher. La journée a été bien longue pour moi qui me lève aux aurores. Nous nous reverrons au petit déjeuner, demain matin. Je sers à partir de sept heures mais si vous voulez faire la grasse matinée, il n'y a pas de problème. Le *breakfast* vous attendra sur un plateau à la cuisine.

Au moment où elle se levait, toutes les lampes s'éteignirent. Les braises mourantes du feu diffusant l'unique lumière de la pièce. Un peu affolée, je clignai des yeux en agrippant le bras de Max.

— Ne vous inquiétez pas! Les pannes surviennent souvent pendant les tempêtes. La météo annonce que le temps va s'améliorer demain après-midi. D'ici là, on a encore quelques heures de gros temps à subir. Tout est prévu. Il y a des lampes à huile pour vous éclairer. N'est-ce pas romantique pour des jeunes gens d'Amérique de veiller à la lampe-tempête?

J'ai failli lui répliquer que nous autres, «jeunes gens d'Amérique» comme elle disait, on connaissait aussi bien qu'elle les lampes à huile puisque notre grand-mère Macha possédait une érablière perdue dans le fin fond d'un rang de campagne des Cantons de l'Est, sans fil électrique à dix kilomètres à la ronde. Mais elle était déjà partie, les bras chargés de vaisselle, Max la suivit de près. J'ai préféré me taire.

Et puis, pour tout dire, je trouvais ça plutôt excitant, cette panne de courant chez Louis XIV. Pour une fois que la réalité rejoignait la fiction!

TROIS

Il était à peine dix heures du soir. Pas de télé, pas de vidéo, pas d'Internet. Rien d'autre à faire que de se coucher et d'essayer de dormir. Pour nous la journée avait été éprouvante, et je n'étais pas contre une petite heure de lecture dans les lits douillets de la chambre de Bellotte, même si la lueur des lampes à huile n'était pas ce qu'il y avait de plus recommandé pour ce genre d'exercice.

Réfugiée derrière le rideau bleu de l'alcôve, bien au chaud sous l'édredon de plumes, j'ai griffonné quelques notes dans mon carnet de voyage en me laissant bercer par les rafales rageuses qui claquaient par vagues sur les vitres. J'apercevais en ombre chinoise la lumière de la lampe de mon Big Max. Je me sentais incroyablement bien. On était ensemble tous les deux, dans cette grande maison inconnue, à mille et mille lieues de chez nous, au cœur d'une tempête grandiose, de celles qui fracassent les navires sur les rochers des côtes, de celles qui abattent les géants des forêts, de celles qui perdent parfois les enfants naïfs, de celles aussi qui font vieillir trop vite. Mais ça, je ne le savais pas encore.

Juste avant de m'endormir, j'ai appelé mon frère en retrouvant le bonsoir de nos petites années d'enfance.

— Bonne nuit, beaux rêves, mon Maxou!

Je n'ai rien entendu de ce qu'il m'a répondu. Le sommeil m'a prise si soudainement que j'en ai oublié d'éteindre la lampe. Je suis tombée dans un trou noir dépourvu d'images.

Sur le coup, je n'ai pas eu conscience de ce qui m'a tirée du puits sans fond où j'étais engourdie de sommeil, mais je me suis réveillée brutalement, le cœur affolé. La nuit était noire comme de l'encre et il pleuvait toujours autant. Max avait dû venir souffler ma lampe à huile. Sans réfléchir, j'ai cherché à tâtons l'interrupteur de la lampe de chevet qui s'alluma miraculeusement. La panne était terminée, Dieu merci! Tout doucement, je me suis extirpée de mon cocon chaud et je me suis levée.

Dans l'autre partie de la chambre de Bellotte, Max dormait à plat ventre, couché en diagonale comme à son habitude, dans le lit à baldaquin, les coussins éparpillés sur le sol. Il avait l'air paisible, ses longs cheveux couvrant en partie son visage. Sans bruit, je me suis approchée de lui et c'est là que, pour la première fois, j'ai senti «sa» présence.

C'était très bizarre comme sensation. Je SAVAIS avec certitude qu'il y avait quelqu'un d'autre que nous dans cette pièce. Je ressentais une vibration étrange tout autour de moi et j'entendais une sorte de respiration ou de chuchotis, mais JE NE VOYAIS PERSONNE. La présence était au pied du lit de Max et elle le regardait, j'en étais sûre.

J'ai fait ni une ni deux. Obéissant à mon instinct, j'ai allumé toutes les lampes de la pièce, ainsi que le lustre de cristal qui pendait au plafond. De la lumière, il fallait de la lumière! J'ai distinctement entendu un froissement d'étoffe et un pas léger qui se dirigeait vers le mur. Un courant d'air froid aussi éphémère qu'un battement d'ailes d'oiseau a frappé ma joue. Et puis, plus rien.

La panique au ventre, je n'ai pas pour autant perdu les pédales. J'ai enfilé un peignoir en vitesse. Je voulais vérifier ce qu'il y avait de l'autre côté du mur de la chambre de Bellotte. Le couloir était éclairé par une veilleuse. À pas de loup, je me suis approchée de la chambre de Robert – c'était le nom qu'elle portait – mitoyenne de la nôtre. La porte était entrebâillée. Je l'ai poussée et je suis entrée.

Personne, bien sûr! Deux lits sagement faits, les mêmes poutres qui passaient d'une chambre à l'autre, un fauteuil confortable où le chat blanc se léchait les pattes et une autre porte qui, vérification faite, s'ouvrait sur une salle de bains correcte mais nettement moins luxueuse que la nôtre.

Tour à tour, j'ai visité la chambre de Nora, la chambre d'Élisabeth, celle de Violaine, et aussi celle d'Albert. En plus de la nôtre, il y avait donc cinq chambres d'hôtes à l'étage... toutes vides, bien entendu! Le corridor était atrocement humide et je grelottais de frousse autant que de froid. Sans être vraiment rassurée, je suis retournée dans la chambre de Bellotte, tournant la clé à double tour dans la serrure derrière moi, ce qui était ridicule, j'en conviens.

Max s'était retourné sur le dos. Les yeux grands ouverts, parfaitement immobile, il fixait le baldaquin du lit sans le voir. Je l'ai appelé tout bas, puis plus fort. Je l'ai même secoué par l'épaule. Aucune réaction! Il dormait profondément, inconscient de la confusion où me plongeait son regard aveugle.

Morte de frousse, incapable de retourner dans mon alcôve, je l'ai poussé un peu et je me suis étendue à côté de lui, tant pour me rassurer que pour le protéger. Quelques instants plus tard, Max s'est tourné sur le côté en grognant. J'avais laissé toutes les lumières allumées. Le lustre de cristal m'aveuglait de toutes ses pendeloques. Engourdie par la chaleur du lit, j'ai rabattu le drap sur mes yeux. Mes grelottements et ma panique se sont calmés peu à peu. J'étais sûre d'une chose: il ne fallait surtout pas que je m'endorme. Je devais veiller sur Max. Quelque chose me disait que nous étions en danger.

Quand je me suis réveillée le lendemain matin, Max se rasait dans la salle de bains en sifflotant comme un merle. Une douce lumière grise entrait par les fenêtres dont il avait tiré les rideaux. Il pleuvait toujours autant. La chambre de Bellotte était magnifique. Je me suis sentie complètement imbécile avec mes peurs nocturnes.

Le petit-déjeuner copieux annoncé la veille nous attendait dans la cuisine. Murs de pierres grises, plafonds en ogives, petites fenêtres encastrées dans l'épaisseur des murs, ce n'était pas l'endroit le plus réjouissant de la maison, mais l'arôme du café, des brioches et des croissants chauds nous fit vite oublier sa sévère apparence. Un plateau bien garni nous attendait. Une antique cafetière en grès était posée bien au chaud sur un immense poêle en fonte noire qui diffusait une agréable tiédeur dans la pièce austère. Sans prendre le temps de s'asseoir, Big Max engloutit un croissant en moins de trois bouchées. Je m'installai à la table. En me servant un bol de café au lait, je remarquai que mon frère s'était copieusement tailladé le dessous du menton avec son rasoir. Comme il n'a jamais été capable de s'habituer à un rasoir électrique, il se rase avec une «pioche» classique. La coupure suintait encore et il avait collé dessus un morceau de Kleenex du plus bel effet.

En nous entendant bavarder, notre hôtesse montra le bout de son nez. Ce jour-là, elle était tout de bleu vêtue. Elle nous souhaita le bonjour et posa un journal sur la table, à notre intention.

— Mes pauvres enfants! Je ne sais pas quelles sont vos projets pour aujourd'hui mais la tempête est loin d'être calmée. Nous sommes encore en pleine alerte météo. Dans le port de Locmariaquer plusieurs chalutiers ont été sérieusement endommagés et on signale le naufrage d'un voilier de touristes au large de Belle-Île-en-Mer. On ne compte plus les arbres qui ont été foudroyés cette nuit et on nous annonce que le courant électrique sera erratique toute la journée. Bref, ce n'est pas très prudent de courir les routes dans des conditions pareilles.

Les gros titres du journal *Ouest-France* confirmaient ce qu'elle venait de dire. Max et moi, on échangea un regard. Il fallait repenser notre itinéraire. Peut-être faire une croix sur Brocéliande ou encore retourner directement à Nantes et descendre vers le sud, en Vendée, pour un jour ou deux, là où la tempête ne semblait pas avoir fait autant de dégâts. Changer nos plans n'était pas une catastrophe ! Il y avait sûrement un car, un train ou une auto, quelque part, dans la région, pour nous conduire là où on voulait.

— Si vous le désirez, vous pouvez rester ici une journée de plus. L'histoire de notre manoir est passionnante. Je ne sais pas si vous vous intéressez aux vieilles pierres, mais cette maison peut vous réserver bien des surprises. Toutes les archives, depuis sa construction jusqu'à nos jours, sont dans la bibliothèque. Vous pouvez les consulter si le cœur vous en dit.

À ces mots, Max dressa l'oreille. Il était fou de châteaux, de donjons et de dragons. Il avait joué à ça toute son enfance. C'était un des rares domaines où on n'était pas sur la même longueur d'onde. Je le voyais déjà imaginer des oubliettes, des caves obscures, des passages secrets, des greniers poussiéreux remplis de coffres anciens et de grimoires mangés aux mites. Il avait toujours eu tendance à délirer, mon Maxou, et son imagination prenait vite le pas sur tout le reste.

Moi, pour ma part, je n'étais pas très enthousiaste à l'idée de rester dans cette maison qui m'oppressait, je ne savais trop pourquoi, mais lorsque Max déploya toute une batterie d'arguments pour aller farfouiller dans les vieux documents, je n'avais pas de bonnes raisons à lui opposer. Il salivait de joie. Après tout, rester vingt-quatre heures de plus dans cette baraque, ce n'était pas la fin du monde. J'avais tort! Sans le savoir, je venais de mettre le doigt dans un engrenage sans retour possible.

Après avoir liquidé tout ce qui était sur le plateau, on s'installa donc dans la bibliothèque avec la bénédiction de notre hôtesse qui nous indiqua les rayons où étaient rangées les vénérables paperasses. C'était une pièce originale, toute ronde, qui occupait le rez-de-chaussée de la tour d'angle, du côté ouest du manoir. Par une petite porte, un escalier en colimaçon rejoignait les chambres à l'étage. Dehors, c'était toujours le déluge. La luminosité avare du jour nous obligea à allumer les lampes. La pièce était somptueuse, couverte de livres du sol au plafond. On pouvait accéder aux rayonnages du haut au moyen d'une échelle qui glissait sur un rail, tout autour de la pièce. On n'avait jamais vu une installation pareille. À côté de ça, les étagères IKEA en pin dont papa avait garni sa pièce de travail et dont il était si fier semblaient plutôt ordinaires.

Max se mit à nager comme un poisson dans l'eau au milieu des rouleaux de parchemin, des cartes anciennes, des livres reliés plein cuir aux pages piquées de moisissure... Moi, toute cette poussière ne me disait pas grand-chose et je le laissai à sa marotte pour passer en revue les titres des bouquins cordés sur les murs. Ce n'était pas le choix qui manquait en matière de lecture. J'aurais bien demandé à la petite dame bleue s'il y avait une télé ou un ordi quelque part, mais elle semblait s'être évaporée dans la maison et je n'osai pas partir à sa recherche.

Derrière la grande table où Max avait étalé quelques précieuses paperasses, je remarquai plusieurs gros classeurs accordéon de carton brun, sur l'étagère du bas de la bibliothèque. Ils portaient tous des dates écrites à la main sur des étiquettes blanches : 1972 à 1978, 1954 à 1962, etc. Me remémorant la date approximative du tableau suspendu dans la chambre, je cherchai s'il y en avait un qui correspondait aux années du début du siècle dernier. En fait, il y en avait deux : 1909 à 1925 et 1925 à 1932. Ça semblait plutôt intéressant.

Bien installée dans un fauteuil que j'avais traîné devant une petite table à cartes, près de la fenêtre ruisselante, j'ai ouvert les classeurs poussiéreux pour me plonger dans les vieux souvenirs du manoir, à la recherche de Bellotte.

Et évidemment, je l'ai trouvée, cette Bellotte. Tout ce qui la concernait était rangé là, dans les deux classeurs : faire-part de mariage, de baptême, carnets de bals, photos, coupures de journaux, figurines de mode arrachées à des magazines, cartes de visite gravées, invitations à des réceptions... Il y avait aussi quelques objets personnels ayant appartenu à la jeune fille : une pochette du soir perlée – sûrement celle du tableau –, un col et des manchettes de dentelle, un éventail, un petit flacon de cristal qui avait dû contenir du parfum, des roses séchées dans une enveloppe blanche qui tombèrent en miettes quand j'essayai de les sortir de là... Tant de souvenirs touchants et plutôt tristes qui témoignaient de l'existence fugace de la jeune fille sur cette terre.

Car elle était morte depuis longtemps, cette Bellotte qui portait le même prénom que moi ! Et ce fut tout un pèlerinage que j'entrepris afin de déchiffrer les traces qu'elle avait laissées derrière elle.

Elle s'appelait Isabelle de Bellouan. D'où le surnom de «Bellotte» qui lui allait comme un gant et qui contractait avec ingéniosité son nom et son prénom. Elle était née le 8 juillet 1911, quelques années avant la Première Guerre mondiale. Ses parents étaient riches, bien nés... quelque chose comme des petits nobles de province, possédant de vastes terres qu'ils louaient à des métayers. Ils s'étaient mariés en 1909 et Bellotte semblait avoir été leur seul enfant. En 1914, Robert de Bellouan était parti à la Grande Guerre et il était mort dans les fossés de Verdun. Son épouse, Violaine, ne semblait pas s'être remariée. Tant d'hommes étaient tombés dans le carnage que bien des femmes de sa génération n'avaient jamais trouvé un nouveau compagnon.

Elle avait élevé son héritière comme une princesse. La gamine avait passé quelques années dans un pensionnat de bonnes sœurs où j'imagine qu'elle avait appris, comme tout le monde, les rudiments du français et de l'arithmétique, comme on disait alors. Ensuite, lorsqu'elle était revenue vivre au manoir, les professeurs particuliers s'étaient succédé pour inculquer à cette jeune oie blanche tout ce qu'une fille de son rang devait savoir. C'est-à-dire le chant et le piano, l'aquarelle et le dessin, les danses sociales, l'art de la conversation, l'agencement des bouquets, les bases de la séduction et surtout la façon de gérer une grande maison pleine de domestiques. J'imagine assez bien l'effet que pourrait avoir l'enseignement de telles matières au programme de notre école : « Bouquet 101 » ou encore « Du *one-step* au *fox-trot* ». Et j'imagine très bien Max prenant des cours d'opéra... un petit mouchoir de dentelle à la main, comme Pavarotti, le chanteur préféré de Jacinthe.

Bellotte avait eu la belle vie : des bals, des piqueniques, des fêtes, des excursions au bord de la mer, des voyages à Paris, à Londres, en Italie... On ne s'embêtait pas en ce temps-là lorsqu'on faisait partie des riches. Il y avait quelques photos jaunies où on reconnaissait très bien la fille du tableau, toujours entourée d'amis de son âge, les filles portant des robes claires assez longues et des chapeaux semblables à des pots de fleurs et les garçons des canotiers.

Une photo en particulier attira mon attention. Il s'agissait d'un portrait, serti dans un carton doré, protégé par un papier de soie. On y voyait Bellotte assise, plus belle que jamais dans une robe vaporeuse, en compagnie d'un homme sensiblement plus âgé qu'elle. Le type était planté derrière elle, un peu en retrait, posant une main protectrice sur son épaule. Contrairement aux autres photos qui exprimaient la joie de vivre d'un bon groupe de copains, celle-ci était grave et sérieuse. La jeune fille fronçait très légèrement les sourcils et elle ne souriait pas. Quant au type, il avait de curieux petits yeux enfoncés, très perçants et farouches, et il regardait Bellotte de biais, avec une expression de propriétaire. L'air de dire «Pas touche! Elle est à moi!» Au revers de la photo, tout s'expliquait. Une date et une note écrites à la plume, à l'encre de Chine et avec des fioritures: «17 avril 1927, fiançailles d'Isabelle et de Jean Brévelet d'Auray». Fiancée à seize ans, avec un vieux qui devait avoir au moins le double de son âge, sûrement très riche, mais qui n'avait pas l'air de lui faire beaucoup d'effet! Beau mariage en perspective. Est-ce qu'on lui avait demandé son avis, au moins, à Bellotte?

Je pouvais facilement me mettre à sa place puisque j'avais à peu près le même âge qu'elle. L'idée d'être fiancée ou mariée si jeune, contre mon gré, me semblait complètement impossible. Mais il n'y a pas si longtemps que les filles peuvent choisir leur compagnon de vie en toute liberté.

Sans m'en rendre compte, je m'étais mise à marmonner. Max me regarda d'un air interrogatif.

Mais je devins muette de stupeur lorsque je pris connaissance du carton encadré de noir qui restait au fond du classeur. Celui-ci annonçait : « Madame la baronne Violaine de Villefranche, épouse de feu Robert de Bellouan, à l'extrême douleur de vous annoncer le décès de sa fille unique, Mademoiselle Isabelle de Bellouan. »

Bellotte était morte un peu plus d'un an après sa photo de fiançailles, le 3 juillet 1928, quelques jours avant son dix-septième anniversaire. Le faire-part de deuil ne disait pas de quoi ou pourquoi elle était morte. Je fouillai avec fébrilité tout ce qui était rangé dans le deuxième classeur à la recherche d'une explication.

Un entrefilet dans un journal jauni m'apporta une réponse qui me stupéfia, c'est le moins que je puisse dire. Selon l'article, Bellotte était morte étranglée par son écharpe. C'était la mode, en ce temps-là, de porter de très longs foulards de soie qu'on enroulait plusieurs fois autour du cou. Ce jour-là, la jeune fille était montée dans une auto décapotable en laissant traîner, sans s'en rendre compte, l'extrémité de son foulard vers l'extérieur. Lorsque la voiture s'était mise en marche, les franges de soie s'étaient prises dans les rayons des roues et, en quelques secondes, elle était morte étranglée, la trachée-artère complètement broyée par la pression. Personne n'avait pu la ranimer. Comme par hasard, c'était Jean Brévelet d'Auray qui conduisait.

J'étais estomaquée. Ça ne tenait pas debout, cette histoire. Mon intuition me disait qu'un tel accident était impossible, qu'il y avait sûrement une autre version de cette catastrophe, moins catholique et pas convenable du tout pour des gens de ce rang-là.

En quelques phrases, je mis Max au courant de mes découvertes. Pour quelques instants, il en oublia ses précieuses paperasses. Son regard se fit rêveur et très doux.

— C'est complètement capoté, cette histoire! Étranglée avec son foulard! Pauvre fille. Tu te rends compte, elle avait notre âge!

— Mais Max, ça se peut pas! C'est complètement invraisemblable!

— On n'en sait rien, Isa. Y a si longtemps que ça s'est passé! Y a rien d'autre dans tes classeurs? T'as rien trouvé de plus?

J'avais pratiquement tout épluché. En remettant les cartons à leur place, je remarquai, juste à côté, un marque-page qui dépassait légèrement d'un gros livre à tranche dorée. Prise d'une impulsion subite, je tirai sur le papier. En fait, ce n'était pas un marque-page mais le coin d'une enveloppe qui contenait un mince paquet de feuillets noués d'un ruban bleu. Des lettres ! Une sorte de pudeur m'empêcha d'aller plus loin. Pourtant, j'avais l'intuition qu'il y avait là une explication à cette histoire bien plus satisfaisante que la «version officielle» que je venais de découvrir. Je replaçai avec soin tous les souvenirs de Bellotte et je remis le petit paquet de lettres à l'endroit où je l'avais trouvé.

Replongé dans ses vieux plans, Max n'avait rien vu et c'était aussi bien ! Cette maison cachait des secrets qui n'avaient rien à voir avec les cartes anciennes et les plans du manoir. De cela, j'étais sûre et certaine !

QUATRE

Il y avait un bout de temps qu'on était dans la bibliothèque. Il était deux heures de l'après-midi! Je commençais à avoir faim. Depuis une bonne heure, Max mâchouillait des bonbons qu'il pêchait dans sa poche. Notre hôtesse n'avait pas donné signe de vie. On se doutait bien qu'il n'était pas prévu dans notre modeste forfait qu'elle assurerait le repas de midi. Il restait quelques barres de céréales dans le sac à dos de Max, mais c'était loin d'être suffisant pour remplir son estomac de perpétuel affamé... ni le mien.

En soupirant, je m'extirpai de mon fauteuil et soulevai le rideau. Dehors, la pluie semblait avoir diminué d'intensité, mais l'allée par où nous étions arrivés ressemblait à un Club Med pour crapauds:

des flaques d'eau de toutes les grandeurs et une stéréophonie de glouglous qui arrivaient de partout.

Me faisant toute confiance pour assurer notre survie, Max préféra rester derrière son rempart de vieilleries imprimées. Je ne sais pas ce qu'il cherchait ou ce qu'il trouvait là-dedans mais il avait l'air aux petits oiseaux. Après avoir fait une incursion dans notre chambre pour prendre quelques sous, je retrouvai sans peine le vestibule et j'enfilai mon imper qui avait eu toute la nuit pour sécher. La porte d'entrée avec ses trois serrures antiques me donna quelque fil à retordre mais je finis par me retrouver dehors. Un crachin humide et incroyablement frisquet pour un mois de juillet me saisit aux épaules et me fit regretter de n'avoir pas mis un chandail chaud.

Le capuchon enfoncé sur les yeux, je me mis à sauter par-dessus les flaques d'eau comme une grenouille. Je voulais sortir du domaine, suivre la route par laquelle nous étions arrivés et aller jusqu'au village le plus proche afin d'acheter quelques trucs dans une boulangerie ou ce qui tenait lieu de dépanneur dans ce trou perdu. Comme il y a des villages tous les trois ou quatre kilomètres en France, je ne m'attendais pas à ce que ce soit bien loin. Et puis, je voulais aussi me renseigner sur les horaires des cars locaux, sur l'endroit où se situait la gare de trains la plus proche ou encore sur la possibilité de prendre un taxi. Toutes les façons possibles de quitter cet endroit, quoi !

Les alentours du manoir se précisaient. C'était vraiment joli. Devant la maison, un immense parterre de fleurs rond déclinait toutes les couleurs du rouge au jaune. Au milieu, une fontaine en forme de poisson s'en donnait à cœur joie et crachait de bon cœur dans un immense coquillage. L'allée était recouverte de gravier blanc. Des deux côtés, des pelouses bien entretenues étaient éclairées par des massifs de fleurs, et deux rangées de peupliers menaient jusqu'à la grille d'entrée. Il y avait bel et bien une ancienne chapelle, toute petite, avec un toit pointu coiffé des mêmes ardoises noires que le manoir, surmonté d'une croix bretonne. Le garage que nous avions deviné la veille était, lui aussi, bien réel. La porte en était grande ouverte. Un tracteur pour tondre le gazon, une camionnette et une petite Renault étaient alignés bien sagement côte à côte. Il y avait aussi une sorte de grange ronde, semblable à une grosse tour, qui devait servir à entreposer du foin ou des provisions, dont le haut était constellé de petites ouvertures rectangulaires. Probablement un pigeonnier. Tout cela avait l'air tellement normal que, sur le coup, je me suis sentie rassurée.

Mais la grille de l'entrée était fermée. Les deux battants étaient entourés d'une énorme chaîne, bouclée par un cadenas gigantesque. Ainsi donc, notre hôtesse était venue fermer la porte. Ou bien, quelqu'un d'autre s'en était chargé. C'était logique! Ce qui l'était moins, c'était que cette grille fût fermée, en plein après-midi, alors que la veille, sous la tempête, elle était grande ouverte. Bizarre! La grille était encadrée d'un mur de pierres qui devait faire le tour de la propriété. Une vraie muraille de Chine! À peu près quatre mètres de hauteur, le tout hérissé de tessons de bouteilles dans le haut pour décourager les voleurs ou empêcher les clients de partir sans payer. Au choix! Protégé comme une vraie forteresse, ce manoir!

Désemparée, je restai plantée là, devant cette porte fermée, et je sentis mon malaise revenir au galop. En fait, Max et moi, on était bouclés, prisonniers de cette grande baraque. Des deux mains, je me mis à secouer les battants de la grille dans l'espoir insensé qu'elle allait céder miraculeusement.

— Un instant, mademoiselle, je vais vous ouvrir.

D'où sortait-il, celui-là? Je ne l'avais pas entendu approcher. C'était un vieux monsieur, en bleu de travail, sans doute un jardinier, un gardien, un homme à tout faire, peut-être même les trois à la fois, engagé pour veiller à l'entretien du domaine. Il venait de sortir du garage et se dirigeait vers moi en boitillant. Incroyablement soulagée, je lui souris tandis qu'il sortait de sa poche une clé géante à la mesure du cadenas qu'elle devait ouvrir.

— Vous savez, avec tout ce qui se passe de nos jours, madame Brévelet préfère que la porte soit fermée.

Madame Brévelet! Elle était bien bonne celle-là! On n'avait même pas pensé à demander son nom à notre hôtesse. Elle était donc parente, de près ou de loin, avec le fiancé de Bellotte puisqu'elle portait la moitié de son nom. Détail qui restait à éclaircir. Pour le moment, le plus important était de savoir où se trouvait le village voisin.

— Ménéac? C'est tout près! Vous suivez la route et à cinq cents mètres d'ici, vous arrivez sur la place de l'église. Mais vous savez, il n'y a pas grand-chose à voir!

Plutôt sympa, ce vieux. J'essayai d'engager la conversation avec lui pour en apprendre davantage. Mais il était curieusement discret et ne semblait rien vouloir dire. Cependant, lorsque je lui demandai si toutes les grosses maisons de la région jouaient à se transformer en châteaux forts et possédaient des murs d'enceinte comme celui du manoir, il me regarda bien en face.

— Le mur fait tout le tour du domaine, vous pensez bien. Mais du côté de l'étang, il y a une brèche, à l'autre extrémité du parc. À mon âge, on n'a pas le temps de voir à tout, et la propriété est grande. Pas vrai ?

J'enregistrai le renseignement. Il était précieux. Au moins, il y avait une issue par laquelle on pourrait décamper d'urgence si c'était nécessaire, sans être obligés d'escalader cette muraille et de s'estropier les abattis sur les tessons de bouteilles si la porte d'entrée était cadenassée.

La grille s'ouvrit en grinçant. L'humidité ne lui réussissait pas et elle gémissait. Je remerciai le vieux monsieur. Un éclair chaleureux passa entre ses sourcils broussailleux et il m'offrit un demi-sourire. Sa main constellée de taches brunes referma la grille derrière moi.

— Je ne vais pas fermer le cadenas. Lorsque vous reviendrez, vous n'aurez qu'à tourner la poignée. Votre frère est resté dans la maison ?

Tiens, tiens ! Il savait donc que j'avais un frère. Que nous étions entrés tous les deux, la veille, dans cette maison. J'acquiesçai d'un signe de tête. Avant que j'aie pu faire un pas vers la route, le vieil

homme posa sa main sur mon bras et me dit très
vite, à mi-voix :

— Mademoiselle ! Faites attention à cette maison. Il s'y passe des choses étranges. Emmenez
votre frère loin d'ici !

Je me dégageai avec une certaine brusquerie. En
trois bonds, je me retrouvai sur la route. J'aurais
voulu croire que je n'avais rien entendu mais, au
fond, j'avais fort bien compris ce message qui col-
lait si parfaitement à mes intuitions.

Lorsque je me retournai pour interroger le
vieillard du regard, il me tournait déjà le dos et
rentrait dans le garage, l'échine voûtée, la démarche
brisée. Est-ce qu'il habitait là ? Y avait-il un logement quelque part pour lui, dans le manoir ou
dans une dépendance ? Lui aussi, il faisait partie
du décor, et peut-être connaissait-il le drame de
Bellotte mieux que quiconque ?

Pourquoi n'ai-je pas osé lui poser des questions
plus précises ? Il devait savoir tant de choses sur
cette maison et ses habitants. Depuis combien
de temps arpentait-il en boitillant les pelouses de
Bellouan ? Quel âge avait-il ? Dans les soixante-dix,
quatre-vingts ans ? C'était difficile de lui donner
un âge précis. Il semblait un brin trop jeune pour
avoir connu Bellotte en personne au moment de
sa mort en 1928, ou alors il n'était encore qu'un

enfant à cette époque. Quel rôle jouait-il au juste ?
Pourquoi donc avait-il pris la peine de me jeter
cette mise en garde en pleine figure ? Pourquoi
devais-je « emmener mon frère loin d'ici » ?

C'était bien vrai. Il n'y avait pas grand-chose à
voir ni à faire à Ménéac. En moins de dix minutes,
j'avais rejoint la place située devant l'église où se
trouvaient également la mairie, le bureau de poste
et le bar-tabac... les classiques de la France profonde. Deux rues se croisaient à un feu clignotant.
Des maisons basses en pierres grises, alignées
sagement le long des trottoirs étroits, cachaient
leurs jardinets du côté cour. Des massifs d'hor-
tensias bleus et des jardinières fleuries suspendues
aux lampadaires... même sous le crachin, Ménéac
était un village « fleuri », plutôt agréable à découvrir, comme on en avait traversé plusieurs dizaines
dans la campagne bretonne.

Le village reprenait vie tout doucement. Après
la léthargie quotidienne qui sévissait de midi à
quatorze heures, les quelques commerces indis-
pensables rouvraient leur porte. Je pus donc
acheter deux sandwichs jambon beurre et des
pains au chocolat chez le boulanger, ainsi qu'une

bouteille d'orangeade et des pommes à la grosse et unique épicerie du coin.

Restait maintenant à me renseigner sur la façon de quitter les environs. Au bureau de poste, l'employé grisâtre, vissé derrière son bureau, n'avait l'air au courant de rien. Je le dérangeais probablement pendant sa sieste et il n'avait pas la moindre intention de lever le petit doigt pour m'aider. Ce n'était pas son job de donner les horaires des autocars. Il eut tout de même l'extrême grandeur d'âme de me conseiller d'aller me renseigner au bar-tabac, juste en face. Je le quittai en claquant la porte et en haussant les épaules.

Au bar-tabac, de l'autre côté de la rue, l'accueil était nettement plus sympa. Dès qu'on entrait dans l'établissement, on était assailli par une odeur écœurante de piquette bon marché et de tabac, mais l'endroit était chaleureux. Les murs étaient couverts d'affiches colorées qui vantaient les mérites de la région, Brocéliande en particulier, et qui annonçaient les différents festivals de l'été. Une immense glacière pleine de délicieuses gourmandises encombrait l'entrée où un kiosque de cigarettes multicolores justifiait le «tabac» du bar. Il n'y avait pas grand monde dans la place. Au fond de la pièce, quatre hommes d'un certain âge jouaient aux cartes. Sans doute des retraités habitués à taper le carton. Une très vieille dame sirotait un café près de la fenêtre en regardant la pluie zigzaguer sur les vitres. La patronne essuyait des verres derrière son comptoir, comme toute bonne patronne de café doit le faire. Derrière elle, s'alignaient des bouteilles de toutes sortes ainsi qu'une machine à expressos flambant neuve.

Je devais avoir l'air d'un chat mouillé un peu paumé, avec mon sac de plastique à la main, car elle m'accueillit d'un bon sourire, encadré de deux fossettes. C'était une grande femme brune, assez rondelette, qui exprimait la bonne humeur par tous les pores de sa peau.

— Qu'est-ce que je peux faire pour vous, ma petite demoiselle?

Elle prit tout le temps qu'il fallait pour me renseigner. Oui, il y avait des autocars qui faisaient la navette entre Lorient et Rennes. Tous les jours, ils s'arrêtaient sur la place de l'église, devant la mairie, à 10 h le matin et à 18 h, sauf le dimanche. Et l'autre abruti de la poste qui avait le nez collé dessus et qui n'était au courant de rien! On pouvait aussi prendre un taxi n'importe quand pour se rendre à Vannes et, de là, il y avait des trains toutes les deux heures pour redescendre vers Nantes. Mais le taxi, c'était pas donné. Il fallait sûrement compter une bonne cinquantaine d'euros pour la course. Elle me donna tout de même la carte de visite du propriétaire du taxi qu'il fallait réserver en le rejoignant par téléphone. Et chaque matin, très tôt, l'autocar de Nantes s'arrêtait devant sa porte à 6 h 45 précises. Suffisait d'acheter son billet la veille, ici même, à son comptoir.

Transie de froid autant que d'émotion, je claquais des dents. Sans que je le lui demande, elle poussa devant moi une tasse de chocolat chaud que j'acceptai avec reconnaissance. Elle me regardait d'un air attendri et je me sentis soudain en confiance. Elle était à peine plus jeune que ma mère, avec la même compréhension dans le regard.

— Alors, vous êtes en vacances dans notre région? Vous venez de Belgique?

— Ben non. Du Canada, du Québec!

Les Français confondent souvent notre accent avec celui de leurs voisins du dessus. Elle se récria:

— Ça alors! Vous venez de bien loin. On voit parfois des reportages sur votre pays à la télé. Paraît qu'il fait bien froid chez vous!

C'était reparti! J'ai cru que tout allait y passer: les Indiens avec les plumes, dépossédés par les affreux envahisseurs blancs, les igloos qu'on trouvait à chaque carrefour, la ville souterraine de Montréal où on vit tous encabanés durant l'hiver interminable, et même Céline Dion, Roch Voisine ou Garou. Pourquoi pas? Tant qu'à nager dans les clichés! Mais elle s'arrêta juste à temps pour revenir au présent.

— Et vous logez dans le coin?

— Oui, on est au manoir. Au manoir de Bellotte. Mon frère et moi, on est arrivés là par hasard, hier en fin de journée, en plein dans la tempête.

— Et il est où, votre frère?

— Il est resté là-bas. Je suis venue faire quelques courses en ville. On n'avait plus rien à manger.

Le sourire s'effaça presque instantanément de son visage. Un bref instant, elle eut l'air consterné. Elle se tourna vers la vieillarde assise au coin de la fenêtre.

— Mémère Jeanne! La petite demoiselle est au manoir. Avec son frère. Qu'est-ce qu'on fait?

Que voulait-elle dire avec son «Qu'est-ce qu'on fait?». Les quatre joueurs de cartes suspendirent leurs stratégies. Dans un silence à couper au couteau, l'ancêtre se leva lentement et traîna ses vieux pieds jusqu'à moi. Elle était incroyablement vieille et ne ressemblait presque plus à une humaine. Quatre-vingt-dix ans au moins, peut-être même cent. Elle m'arrivait à peine à l'épaule, toute torturée par l'âge et les rhumatismes. Elle était habillée de noir des pieds à la tête comme les veuves des temps anciens. Un châle de mohair mauve réchauffait ses épaules. Son visage semblait figé dans la cire : jaunâtre et momifié, parcouru d'un lacis de rides qui exprimaient tous les chagrins d'une très longue vie. Ses cheveux de neige étaient ramassés en maigre chignon sur sa nuque. Mais ses yeux bleus exprimaient encore la rage de vivre. Elle me fixa longuement, sans ciller. Démesurément grossi par les verres de ses lunettes, son regard inquisiteur n'avait rien d'aimable et me mit mal à l'aise. Sans rien me dire, elle se tourna vers celle qui devait être sa petite-fille, ou une de ses descendantes.

— Qu'est-ce que tu veux qu'on fasse, Aliette ? Tu sais bien qu'on peut rien faire.

Soudain, sa vieille main crochue s'accrocha à mon bras. Je sursautai. Ses yeux d'un bleu délavé ne me quittaient pas. J'étais subjuguée par son étrange présence et je me sentais incroyablement vulnérable devant elle, comme si elle devinait tout de moi.

— N'ayez pas peur, petite ! Rien de mal ne peut vous arriver. Ne croyez pas tout ce qu'on va vous raconter au manoir. Suivez votre idée...

Elle me lâcha. À petits pas, en s'appuyant aux tables, elle retourna à sa place auprès de la fenêtre. Si je calculais bien, elle devait avoir entre dix et quinze ans en 1928, dans ces eaux-là. J'étais sûre qu'elle avait connu Bellotte et qu'elle en savait long sur le drame. C'était dérangeant. Je n'avais plus qu'une seule idée en tête, rejoindre Max et me réchauffer à notre complicité de toujours. La dénommée Aliette refusa la pièce que je posai devant ma tasse pour payer le chocolat. Elle fit le tour de son comptoir et me reconduisit jusqu'à la porte. Elle alla même jusqu'à faire quelques pas dehors, sous la pluie, à mon côté. Son front était barré d'un gros pli soucieux. Avant qu'on se quitte, elle se décida enfin à me dire ce qu'elle avait sur le cœur et qui lui démangeait la langue.

— Vous savez, je ne sais pas ce qu'on a pu vous raconter là-bas mais il n'y a pas eu d'accident comme on a essayé de le faire croire partout. La jeune fille du manoir, elle s'est pendue avec son écharpe... au lustre de sa chambre ! Mais c'est de l'histoire ancienne maintenant.

Miséricorde ! J'étouffai un gémissement. Elle n'avait pas eu besoin de prononcer son nom. Je savais qu'elle parlait de Bellotte. Et elle me confirmait qu'on était embarqués dans une histoire invraisemblable et qu'il fallait qu'on se sorte de là au plus vite. Max. Maxou. Mon Big Max. Mon grand frère. Il était en danger. Je le sentais. Et c'était mon devoir de veiller sur lui. Personne n'allait me l'enlever. Pas un humain, vivant ou mort, n'allait pouvoir l'atteindre sans, auparavant, me passer sur le corps.

— Si vous avez besoin d'aide, n'hésitez pas à venir sonner à ma porte. N'importe quand. Je demeure juste à côté du bar-tabac. Au 28. Aliette... Aliette Longré. Vous vous souviendrez?

Impossible de l'oublier dans de telles circonstances. Je la quittai brusquement, comme si j'avais le feu aux trousses, et je pressai le pas sur la route, trempée par la pluie qui recommençait à tambouriner avec force.

Parvenue à la grille, je m'arrêtai net. Avant toute chose, il fallait que je trouve cette brèche dont le gardien m'avait parlé. Autant mettre toutes les chances de notre côté si on devait partir en catastrophe. Je me mis donc à longer le mur du côté du champ de trèfle qui bordait la propriété. Par endroits, quelques pierres étaient descellées et le mur présentait des aspérités qu'on pouvait utiliser pour grimper. À d'autres places, du lierre et de la vigne vierge le recouvraient en entier, ce qui permettait aussi une escalade ou une descente rapide selon le cas. Toutes les opportunités étaient bonnes. Il fallut tout de même que je marche cinq bonnes minutes avant de trouver l'éboulis de la brèche. Miné par le temps, le vieux mur s'était écroulé sur deux ou trois mètres et ne présentait plus que la moitié de sa hauteur. Je grimpai facilement jusqu'à l'ouverture. Le parc du manoir était caché par un rideau d'arbustes plantés au pied du mur. J'atterris un peu brusquement de l'autre côté et j'écartai les branches qui masquaient la vue.

Je me trouvais très exactement à l'opposé de la grille. Du côté du parc, comme nous l'avait annoncé notre hôtesse, la veille. Juste devant moi, je voyais un étang où barbotaient plusieurs canards et un couple d'oies blanches. Toute cette flotte, c'était la joie chez les volailles! Au-delà de l'étang, une grande pelouse en pente montait vers la maison, avec, juste au milieu, un puits ancien en fer forgé fermé par un couvercle. Et enfin, dominant le tout, la face sud du manoir qui se dévoilait dans toute sa splendeur avec les fenêtres des chambres d'hôtes, à l'étage noble.

Dans l'angle du mur, je reconnus facilement la chambre de Bellotte. Une lumière y brillait. Max avait dû y remonter. J'ai soudain eu très hâte de le rejoindre et, surtout, je ne devais plus le lâcher d'une semelle!

CINQ

La porte d'en bas n'avait pas été refermée à clé, ce qui m'évita de taper dessus comme une malade pour me faire ouvrir. Je montai l'escalier quatre à quatre jusqu'à la chambre de Bellotte dont la porte était entrouverte.

Personne! Il n'y avait personne dans la grande pièce. Je tirai le rideau de l'alcôve. Personne là non plus. J'inspectai la salle de bains et les «vécés». En vain. Big Max n'était pas là. Les lits avaient été faits et nos affaires étaient pliées avec soin sur un fauteuil. Service quatre étoiles!

Le chat blanc de la veille était couché sur le lit à baldaquin, la bedaine à l'air. En fait, je devrais plutôt dire «la chatte» car il s'agissait d'une femelle. Une petite tête triangulaire, un corps fin et délié, une grâce parfaite dans chaque courbe de son corps, la bête était racée, avec un pelage blanc immaculé, presque nacré. Elle me regarda de ses yeux mi-clos et bâilla pour me faire comprendre que je la dérangeais. Mais elle frémit des moustaches lorsque je posai mon sac près d'elle, sur la table de nuit. Ce qu'il y avait dedans l'intéressait. Elle se leva, s'étira de tout son long et, grimpant sur le meuble, elle entreprit de renifler de plus près les effluves qui s'échappaient du paquet.

J'avais la tête ailleurs. Le bruit de ses pattes farfouillant dans l'emballage des sandwichs me sortit de ma torpeur. Si je la laissais faire, elle allait bouffer tout notre jambon sans en laisser une miette. Je tendis le bras pour l'écarter mais, en l'espace d'une seconde, elle se transforma en véritable furie. Se hérissant comme une diablesse, elle me cracha des injures et me griffa profondément à la main. Stupéfaite par la réaction incroyablement agressive de cette bestiole, je la regardai en me demandant quoi faire. Ses yeux en amande ne me quittaient pas d'un cil. Elle était prête à m'attaquer encore si je risquais le moindre geste vers elle. Elle n'était pas normale, cette chatte ! Il y avait toujours eu des chats chez nous, et pas un seul n'aurait réagi ainsi dans les mêmes circonstances. Papa ne l'aurait pas toléré.

Je baissai les yeux la première. La petite garce, elle n'avait pas manqué son coup. La main m'élançait. Je me précipitai vers la salle de bains pour la plonger dans l'eau froide et éponger le sang qui perlait déjà sur mon poignet. Lorsque je revins quelques instants plus tard, la main entourée d'une serviette, la tigresse miniature s'était sauvée sans demander son reste, puisque j'avais oublié de refermer la porte.

Comme une masse, je me laissai tomber sur le coin du grand lit, face au portrait de Bellotte qui me souriait, immortelle dans sa belle robe de satin blanc. Je me sentais le cœur à l'envers et les larmes au bord des paupières. Et mon frère, où était-il passé, ce grand escogriffe? Encore au milieu de ses vieux papiers?

En réalité, je ne savais plus du tout ce que je devais penser. Est-ce que j'étais en train de nous inventer toute une histoire abracadabrante? Comment départager le vrai du faux, le plausible de l'improbable dans tout ce que j'avais vu et appris depuis que nous avions mis les pieds dans cette cabane? C'était urgent de faire le point.

Tout d'abord, le vrai, le rationnel.

Max, mon jumeau, et moi, on fait le voyage de notre vie en France, plus précisément en BRETAGNE.

Au bout de dix jours de périple, on est pris dans une TEMPÊTE fantastique alors qu'on marche sur une route et on ne sait plus du tout où on se trouve. On est complètement paumés. On prend la première entrée qui s'offre à nous et qui est OUVERTE.

On se retrouve dans un vieux MANOIR centenaire. De la classe, du cachet... un plongeon dans le passé. Comme chez Louis XIV, on s'entend là-dessus.

Coup de chance, ce manoir offre des chambres à des voyageurs de passage et l'hôtesse qui nous recueille gentiment nous fait un prix incroyablement bas pour que nous puissions rester chez elle. Elle nous donne la CHAMBRE d'une jeune fille surnommée BELLOTTE.

On prend notre repas en compagnie de la dame. C'est charmant et convivial. Coupure de courant. On se couche tôt et je me réveille en pleine nuit.

Le lendemain matin, c'est toujours le déluge et notre hôtesse nous propose de rester chez elle et de faire des fouilles archéologiques dans sa BIBLIOTHÈQUE.

Pendant que Max épluche les vieilles paperasses, je tombe sur un classeur bourré de souvenirs et je reconstitue les grandes lignes de la vie d'ISABELLE DE BELLOUAN, la jeune fille dont nous occupons la chambre, morte très jeune, dans des circonstances assez nébuleuses, alors qu'elle était fiancée à Jean Brévelet d'Auray .

Dans l'après-midi, je sors faire un tour jusqu'au village pour acheter des provisions. La grille de l'entrée est fermée par un cadenas. Un vieil homme vient m'ouvrir. La propriété est entourée d'un mur qui ressemble à un rempart. Le vieux m'informe qu'il y a une brèche dans ce mur. À mon retour, je m'assure qu'il y a bel et bien une partie du mur écroulé, à l'opposé de la grille d'entrée.

Ménéac est un trou. On en fait le tour en cinq minutes. Le gars de la poste est un vrai *twit* mais la patronne du bar-tabac est super gentille et me donne tous les renseignements que je lui demande pour quitter l'endroit. Elle s'appelle Aliette Longré. Je rencontre aussi sa grand-mère ou son aïeule puisqu'elle l'appelle «mémère Jeanne», une très, très vieille dame qui se trouve là et qui a l'âge d'avoir connu Bellotte.

Ébranlée par ce qu'ils me racontent au sujet de ladite Bellotte, je fonce au manoir retrouver mon frère que je crois en danger. Je monte à la chambre et je me fais griffer par la chatte lorsque je veux l'empêcher de fouiller dans nos provisions.

Voilà! À quelques détails près, l'enchaînement rationnel des dernières heures était là. Je devais maintenant passer en revue tout ce qui appartenait au domaine de l'intuition ou de la perception et essayer de trouver des explications qui tenaient la route.

La grille ouverte miraculeusement durant la tempête? Peut-être que le vieux gardien avait fini sa journée plus tôt que de coutume ou encore, peut-être qu'il n'avait pas voulu se mouiller sous les trombes d'eau pour fermer la grille. Une chance pour nous!

La présence de Bellotte pendant la nuit? On pouvait mettre ça sur le compte de mon imagination débordante. Je ne croyais pas vraiment aux fantômes mais l'ambiance du manoir, la tempête et tout le reste m'avaient fait beaucoup d'effet. Autant le reconnaître.

Les yeux ouverts de Max pendant son sommeil? Petit, Maxou avait fait des crises de somnambulisme. Ce n'était pas la première fois qu'il dormait en regardant le néant. J'avais un peu perdu les pédales dans mon interprétation.

La mort étrange de Bellotte? Ça, c'était vraiment troublant! J'étais convaincue qu'il y avait toute une histoire pas très convenable autour du décès de la jeune fille. D'ailleurs, la patronne du bar-tabac m'avait fourni une version qui confirmait le malaise que je ressentais. Si, comme elle me l'avait affirmé, mademoiselle de Bellouan s'était pendue, il était bien possible que sa mère ait inventé ce pieux mensonge pour sauver la face dans son milieu de snobs provinciaux. Ça demandait une vérification.

Restait maintenant la mise en garde des deux vieux qui semblait s'adresser spécifiquement à moi. SORTIR MON FRÈRE D'ICI. Pourquoi LUI principalement? SUIVRE MON IDÉE. Pourquoi MON idée? Comme si c'était moi qui devais agir, et moi seule!

Là, je n'étais plus dans le réel mais dans l'interprétation fantaisiste. Je nageais dans le fantastique, dans l'élucubration, dans le flou, dans le rêve. Je prenais mes désirs d'aventure pour des réalités. *Peut-être* que le vieux gardien avait envie qu'on sacre notre camp d'ici car notre présence lui causait un surcroît de travail. Et *peut-être* que c'était une façon de parler chez la vieille dame qui ne portait pas à conséquence. Ou encore *peut-être* exprimait-elle ainsi une ancienne rivalité entre gens du même patelin qui se connaissaient depuis des siècles et ne pouvaient pas se sentir. *Peut-être?* Ça faisait tout de même beaucoup de PEUT-ÊTRE.

Malgré tout, si j'analysais la situation froidement, les éléments rationnels l'emportaient largement sur la folle du logis qui galopait dans ma tête. Soulagée par ces quelques minutes de réflexion posée, je relâchai la pression.

C'est alors que je ressentis à nouveau la vibration qui accompagnait sa présence... Juste à la hauteur de mon visage, deux petits chaussons verts se matérialisèrent. Je levai les yeux. Bellotte se balançait devant moi, molle comme une grande poupée de chiffon, un peu transparente. Elle était pendue au grand lustre à pendeloques par une écharpe de soie enroulée plusieurs fois autour de son cou. Ses grands yeux noirs me regardaient fixement. Son visage était paisible, presque étonné. Mon Dieu, elle avait l'air si jeune!

Folle de terreur, je me levai comme si j'avais reçu une décharge électrique et je poussai un hurlement de détresse. Presque immédiatement, j'entendis une galopade dans l'escalier. Max déboula dans la chambre comme un fou.

— Isa! Qu'est-ce qui se passe? Qu'est-ce qui t'arrive Frangine?

— Là! Là!

Il tourna la tête vers le lustre que je lui montrai... et haussa les épaules d'incompréhension. Bellotte avait disparu, bien sûr. J'éclatai en sanglots hystériques. Sans rien comprendre du tout, Max me prit dans ses bras.

J'ai pleuré à chaudes larmes sur l'épaule de Big Max au moins cinq bonnes minutes sans pouvoir m'arrêter. Ce n'était pas dans mes habitudes de me laisser aller ainsi, et mon frère en était tout décontenancé. Il ne savait pas quoi me dire et me tapotait le dos comme si j'avais trois ans.

À la longue, j'ai tout de même fini par me calmer. Je me suis blottie dans l'alcôve, assise sur le lit, étreignant un des oreillers et j'ai déballé mon sac. J'ai tout raconté à Max. Tout! Tout ce qui était réel et tout ce qui appartenait au domaine de l'irrationnel. Interloqué, il m'a laissé radoter sans rien dire. Mais quand je lui ai parlé de la «présence» de Bellotte pendant la nuit et de son corps pendu au lustre, il a réagi brusquement.

— Isa! Tu te rends compte de ce que tu racontes? Tout ça n'a pas de bon sens. T'es en train de virer folle ou quoi?

— Mais toi, tu l'as jamais vue cette morte? Tu l'as jamais sentie autour de toi?

— Jamais! La seule Bellotte que j'ai vue et que je vois encore c'est elle, là.

Et il montra le tableau du doigt. Il n'avalait pas une miette de ce que je venais de lui raconter. Pragmatique, ancré solidement dans le réel, mon frère avait besoin de tout expliquer avec logique, sans doute pour se rassurer lui-même. Mais certains de mes arguments méritaient tout de même un peu d'attention. Mon idée à moi était faite. Tempête ou pas, il fallait qu'on décampe d'ici au plus vite.

— Max, je veux m'en aller. Le village est à deux pas et on peut prendre l'autocar de Rennes à 18 h. On a encore le temps d'y arriver.

— Mais pourquoi? On est super bien ici et je t'assure qu'on court aucun danger, ni toi ni moi.

— Et moi, je veux qu'on parte au plus vite. Je suis pas bien du tout dans cette baraque.

— Isa, raisonne pas avec tes pieds. On n'est pas très loin de Brocéliande... c'était dans nos projets d'y aller, tu te souviens. C'est possible de changer un peu nos plans, non? On pourrait y passer toute la journée de demain si le temps s'améliore et loger ici jusqu'à notre départ pour Nantes. J'ai trouvé un horaire des cars de la région. De Ménéac, on peut y aller en moins d'une heure. On retrouvera jamais une occasion pareille. On est traités comme des rois et ça nous coûte à peine plus cher qu'un terrain de camping. C'est chouette, non?

— C'est ton point de vue. Pas le mien. Moi, je suis sûre qu'il y a quelque chose d'étrange et de maléfique dans cette maison. Et c'est pas parce que tu le sens pas QUE ÇA N'EXISTE PAS!

— Encore! Tu vas pas remettre ça. C'est débile à quel point tu peux te monter la tête facilement. T'es en train de péter une coche, ma parole!

— Je sais ce que je dis, pauvre innocent. Et c'est TOI qui es le plus en danger, même si tu veux pas l'admettre.

— Mais en danger de quoi?

— Je sais pas encore...

Avec tout ce qu'il avait découvert dans la bibliothèque, il était plutôt difficile à faire bouger, le frangin! J'ai donc décidé d'utiliser un argument massue, même si ce genre de coup bas, ça ne me ressemblait pas trop.

— Et puis, je veux appeler les parents. Et aussi Mamicha. Elle, je suis sûre qu'elle comprendra tout de suite ce que tu veux pas entendre. On va bien voir s'ils sont d'accord pour qu'on reste ici après ce que je vais leur raconter!

— T'es bien sûre que tu veux embêter papa et maman avec tes histoires à dormir debout? Non mais, tu te vois en train de leur expliquer qu'une superbe fille, morte depuis quatre-vingts ans au moins, me poursuit dans les couloirs de son château et veut m'entraîner avec elle dans les limbes... Ou bien ils vont rigoler, ou bien ils vont t'engueuler comme du poisson pourri parce que tu vas les inquiéter inutilement. Quant à Mamicha, je doute pas une minute qu'elle va entrer dans ton délire. Elle est presque aussi folledingue que toi par moments. Écoute Frangine, jusqu'ici, on n'a pas eu besoin d'eux et on a fait un super beau voyage. Tu vas pas tout gâcher maintenant avec tes niaiseries.

Il ne voulait rien entendre, rien admettre, cet entêté. Et il marquait un point au sujet des parents. Mais j'étais bien décidée à tenter le tout pour le tout. Sans rien ajouter, puisque c'était inutile, je commençai à ranger mes affaires dans mon sac à dos et à ramasser tout ce que j'avais laissé traîner dans l'alcôve. Max me suivait du coin de l'œil, quand même un peu inquiet.

— Qu'est-ce que tu fais ?

— Tu vois bien. Je fais mon sac. Je m'en vais.

— Isa, tu peux pas faire ça !

— Et pourquoi ? Tu vas m'en empêcher peut-être ? Et comment ? Si toi, tu veux t'encroûter ici, c'est ton affaire. Mais moi, je reste pas une minute de plus dans cette maison hantée. Donne-moi mon passeport et la moitié de l'argent qui reste. On se retrouve à Nantes, à l'aéroport, dans trois jours. Ça te va ?

— Isa ! On peut pas se séparer comme ça. Maman m'a demandé de veiller sur toi. Je suis responsable de toi. Et s'il t'arrivait quelque chose, je pourrais jamais me le pardonner.

Cher Maxou! J'avais tout de même réussi à l'ébranler un peu. J'étais bien décidée à pousser mon avantage et à le sortir de là, de gré ou de force. Je fonçai dans la salle de bains pour ramasser mes derniers cossins. Je le quittai de l'œil une minute, une toute petite minute seulement. Ce fut suffisant!

Lorsque je revins dans la chambre, Max était planté devant le tableau de Bellotte. Il était blême, complètement absent à tout le reste. Ses yeux étaient vrillés sur ceux de la jeune fille et il souriait à moitié, comme si elle lui parlait à l'oreille. Un instant plus tard, il frissonna, fit quelques pas et se laissa tomber sur le lit à baldaquin, quasi inconscient. Quelque chose venait de se produire, de m'échapper. Bellotte était encore dans la chambre. Je sentais autour de moi la folle vibration qui accompagnait ses apparitions, sans toutefois la voir. Elle était très proche, beaucoup trop proche de Max. Spontanément, je m'adressai à elle à mi-voix.

— Va-t'en! Laisse-le tranquille. Il ne peut rien pour toi.

J'entendis l'écho d'un rire très lointain et le froissement de tissu qui m'avait tant chamboulée la nuit précédente. Le fantôme de Bellotte traversa le mur et la tension insensée qui l'accompagnait s'estompa aussitôt.

Lorsque je me retournai vers Max, j'eus la surprise de voir qu'il s'était endormi, les bras largement étendus sur le lit. Il avait l'air complètement épuisé, perdu dans une léthargie anormale. Sur son menton, la coupure de rasoir qu'il s'était faite le matin même s'était rouverte et un peu de sang y était coagulé. Le fantôme de cette fille espérait, attendait quelque chose de lui, c'était maintenant évident pour moi.

Impossible de quitter mon frère et de le laisser tout seul dans cette maison. Si je partais sans lui, peut-être qu'on ne le reverrait jamais. Je devais le sortir de là et j'étais bien décidée à y mettre toute mon énergie. Soudain, mes jambes se dérobèrent sous moi. Prise de faiblesse, le cœur battant à tout rompre, je me suis assise près de mon frère.

Entre Bellotte et moi, la lutte commençait. Et je savais déjà que ce serait dur. Épouvantablement dur!

SIX

À sept heures tapantes, le même soir, Max m'entraîna dans l'escalier. On était invités à dîner avec notre hôtesse, au salon, comme la veille. Pas question d'arriver en retard! Il avait dormi au moins deux heures, très profondément, et il avait encore l'air tout engourdi, les yeux un peu brumeux. Mais il tenait à montrer qu'on était polis. La ponctualité faisait partie de la bonne éducation qu'on était censés avoir reçue.

La grande pièce était toujours aussi agréable. Un bon feu brûlait en crépitant dans la cheminée, chassant l'humidité et dégageant une odeur sucrée de bois de pommier. Une musique douce flottait dans l'air, diffusée par un antique tourne-disque posé sur un guéridon, près de la fenêtre. La classe! Cette maison avait décidément beaucoup de charme mais il fallait la voir au-delà des apparences.

La chatte blanche était installée sur un canapé, près de l'âtre, les deux pattes repliées sous elle. Notre hôtesse était absente mais trois couverts étaient installés sur une petite table ronde autour de laquelle des fauteuils avaient été alignés. Il ne semblait toujours pas y avoir d'autres visiteurs dans la maison, ce qui n'avait rien de très étonnant étant donné le temps de chien qui sévissait sur la région depuis notre arrivée.

Big Max se laissa choir sur le fauteuil le plus proche de la cheminée. Presque aussitôt, la chatte blanche quitta son canapé et sauta sur les genoux de mon frère, se lovant contre lui, dressant sa petite tête en triangle pour se faire caresser sous le menton, en ronronnant sans aucune discrétion. Un vrai moteur! J'eus même l'impression, à un moment donné, qu'elle me regardait d'un petit air ironique, l'air de dire: «C'est lui que je préfère!» Dans les circonstances, ça m'était complètement égal car je n'avais aucune envie de me faire griffer une seconde fois par la tigresse.

— Je vois que Moussia vous a adopté!

Notre hôtesse venait d'entrer dans la pièce, un plat dans une main et un saladier dans l'autre. Je me levai pour l'aider, mais elle avait déjà déposé le tout sur la table en me gratifiant d'un chaleureux sourire. Elle prit le temps de déboucher une bouteille de cidre, de remplir trois verres déposés sur un plateau chargé de petits biscuits salés, avant de venir s'installer devant le feu avec nous.

— C'est bien rare que Moussia se comporte ainsi avec un inconnu. Vous devez avoir un fluide spécial, Max.

Ainsi donc, la tigresse s'appelait Moussia. Je notai au passage que madame Brévelet appelait Max par son prénom, comme s'il était déjà une vieille connaissance. Notre hôtesse baissa les yeux sur ma main que j'avais soignée de mon mieux en cachant la griffure sous un pansement.

— Vous vous êtes blessée, ma chère?

Moi, je n'avais droit qu'à un «ma chère» de circonstance. Sans m'expliquer pourquoi, j'eus comme l'intuition soudaine qu'il valait mieux taire l'épisode de l'attaque de son fauve dans la chambre.

— Rien de grave. Je suis sortie un peu cet après-midi et je me suis éraflée la main en voulant cueillir des mûres le long de la route qui mène au village.

— Si vous avez besoin de quelque chose, n'hésitez pas!

— Merci beaucoup mais on a une trousse de premiers soins dans nos bagages... précaution de maman, vous comprenez!

La digne dame me fit un sourire de surface qui se voulait compatissant et rassurant avant de se tourner vers Max.

— Alors! Vous avez trouvé des choses intéressantes dans la bibliothèque?

Pendant cinq bonnes minutes, Max lui détailla, en long, en large et en travers, toutes ses «découvertes» de la journée. Elle approuvait en hochant la tête, une petite lueur amusée dans le regard.

— Je peux même vous en dire un peu plus. Ce n'est pas prouvé par des documents officiels, mais le manoir aurait été construit sur un ancien cercle druidique. Le puits que vous voyez sur la pelouse, devant l'étang, et qui alimente toujours le manoir en eau pure, était autrefois une source aux propriétés miraculeuses. C'est du moins ce que la tradition populaire en a retenu! Et il paraît que des gens venaient de fort loin pour goûter son eau et en emporter dans des fioles.

Max était au paradis! Des druides plus une source miraculeuse... même dans ses rêves les plus fous, il n'aurait jamais imaginé se retrouver dans un endroit semblable. Il était transporté, tout éveillé, dans ses délires préférés. J'avais toute une côte à remonter pour le convaincre de vider les lieux et d'oublier Brocéliande. J'étais mieux de trouver une super bonne raison.

On se mit à table et la conversation glissa vers les sites merveilleux des environs. Notre hôtesse se proposa de nous conduire le lendemain à Brocéliande qui n'était situé qu'à une trentaine de kilomètres de Ménéac. On devait absolument voir l'Arbre d'or, l'étang de Viviane, et faire la promenade guidée. Chaque étape était ponctuée par une légende dite par un conteur, caché derrière un rocher ou un arbre, qui surgissait brusquement sur le chemin des promeneurs. Inoubliable, cela va sans dire! Sans même me demander mon avis, Max accepta la proposition avec empressement. Mes projets de fuite venaient de prendre un sérieux coup dans l'aile. Il fallait que je réagisse. Je décidai donc d'entrer dans le vif du sujet.

— Est-ce que vous êtes parente avec le fiancé de Bellotte?

— Je vous demande pardon?

Elle avait parfaitement compris ma question, mais elle se donnait ainsi le temps de réfléchir. Max m'écrasa les orteils sous la table et leva les yeux au ciel d'un air furieux, mais je n'avais aucune envie de reculer. Il était d'ailleurs trop tard.

— Oui! Dans la bibliothèque, on a trouvé un classeur avec des souvenirs de la jeune demoiselle de la maison, celle dont vous nous avez donné la chambre. J'espère qu'on n'a rien fait d'indiscret... mais comme vous nous aviez donné la permission...

— Mais pas du tout, pas du tout! Il n'y a rien de secret là-dedans. Jean Brévelet d'Auray était mon père.

— Votre père! Alors, Bellotte...

— Bien sûr, il n'a pas épousé Bellotte. Vous avez dû lire le faire-part annonçant la tragédie.

— Quelle mort affreuse! s'empressa de clamer Max en me lançant un regard noir.

— Vous pouvez le dire! Fauchée en pleine jeunesse, en pleine beauté. Vous savez, les automobiles de l'époque n'étaient pas aussi sécuritaires que maintenant. Imaginez un peu, elles avaient des roues à rayons. Quand on montait dans une voiture décapotable, il fallait faire très attention et ne laisser traîner aucune pièce de vêtement. Il y a eu plusieurs décès de cette sorte à l'époque.

— Et votre père était son fiancé?

— Oui. Ils venaient juste d'échanger leurs vœux et devaient se marier quelques semaines plus tard.

— Et il s'est retrouvé en possession du manoir...

— Madame de Bellouan est devenue presque folle de chagrin à la mort de son enfant unique. Elle ne voulait plus vivre dans cette maison qui la lui rappelait tant et elle est partie vivre à Rennes dans un hôtel particulier qui lui venait de sa famille. Quelque temps après, mon père a proposé de lui racheter le manoir. Au début elle a refusé de vendre, mais elle a été très touchée quand il lui a dit qu'il voulait vivre dans le souvenir d'Isabelle. Elle a fini par accepter. D'autant que c'était une lourde tâche pour une femme seule d'entretenir à distance un domaine comme celui-là. Et madame de Bellouan ne s'intéressait plus à grand-chose, la pauvre dame... On la comprend!

Ouais! Toute cette version tenait debout. Si je n'avais pas vu – de mes yeux vus – le fantôme de Bellotte se balancer au lustre de la chambre, toute cette histoire tragique m'aurait semblé à peu près normale. Mais voilà! Ou bien cette femme n'était au courant de rien – ce qui était possible après tout – ou bien elle mentait comme elle respirait. Je repris l'avantage de la conversation.

— Alors, si je comprends bien, votre père s'est marié...

— Mais bien sûr! Il ne s'est jamais vraiment consolé de la mort de mademoiselle de Bellouan, mais il a fini par se faire une raison. Il voulait

des héritiers. Il a donc épousé ma mère quelques
années plus tard... mais je crois qu'il ne l'a jamais
aimée autant.

Max se pencha vers elle avec un sourire triom-
phant, comme s'il avait trouvé la solution à une
énigme rare.

— Donc, vous vous appelez madame Brévelet
d'Auray !

— Roxane pour vous servir, Max, ajouta la
dame dans un grand éclat de rire. Mais les noms à
particule n'ont plus vraiment la cote de nos jours.
On a donc simplifié...

— Roxane Brévelet d'Auray, quel joli nom ! Tu
trouves pas, Isa ?

Je me suis contentée de sourire à mon tour.
La langue me démangeait. Il fallait que j'en sache
davantage, même si je devais paraître grossière ou
indiscrète.

— Vous avez toujours habité ici, au manoir ?

— Pas tout le temps. Comme toutes les jeunes
filles de mon milieu, j'ai fait mes études dans un
pensionnat de religieuses. Je ne revenais ici que
pour les vacances. Et puis, il y a eu la Seconde
Guerre qui a brisé notre jeunesse à mon frère et à
moi. Les Allemands ont occupé le manoir pendant
plusieurs mois. Mon père en a été très choqué et
ne s'en est jamais remis. Il est mort juste après la

Libération. Heureusement, mon frère était trop jeune pour être conscrit et participer au carnage. Après le décès de notre père, il a beaucoup voyagé pour ses affaires. Il est mort il y a une vingtaine d'années. Et, avant que vous me posiez la question suivante qui vous brûle les lèvres, ma chère, autant vous le dire : je ne me suis jamais mariée. En quelque sorte, je suis la gardienne des âmes de ce manoir. Mais tout ceci est bien triste...

— Excusez-nous, madame, Isa est trop curieuse. On ne voulait pas vous faire de peine.

— Ce n'est rien... de vieux souvenirs qui remontent parfois... Parlons de choses plus joyeuses, voulez-vous !

Mais moi, quoi qu'en dise Max, je n'avais pas fini de poser mes questions. Alors je continuai avant de me faire clore le bec une fois pour toutes.

— Il y a encore des gens qui ont connu Bellotte dans les environs ?

— Peut-être monsieur Longré, notre gardien. Il était sûrement très jeune en 1928, mais il était né... enfin je crois !

Là, je l'avais ma réponse... ainsi que la preuve qu'elle mentait. Et la petite grand-mère du bar-tabac, qu'est-ce qu'elle en faisait ? C'était pratiquement impossible que dans Ménéac, un patelin grand comme ma main, elle ne l'ait jamais rencontrée ou qu'elle ait ignoré son existence. Et puis, si j'avais bien compris, le gardien s'appelait Longré, lui aussi, comme Aliette et aussi probablement son aïeule. Trois Longré, ce n'était tout de même pas un hasard! Cette histoire était tricotée de façon bien étrange. Je ne pus m'empêcher d'entendre à nouveau la voix fragile de la vieillarde qui me disait: «Ne croyez pas tout ce qu'on va vous raconter au manoir. Suivez votre idée...»

Mon idée était loin d'être faite. Au fond, même si je commençais à pouvoir faire recouper certains événements, je n'étais pas tellement plus avancée.

Madame Roxane se leva la première, emportant une pile d'assiettes. En bon chevalier servant, Max la suivit avec un plateau, comme un toutou docile. Avant de quitter la pièce, elle se tourna vers moi. Toute aménité avait disparu de son regard.

— Ah! un détail, ma chère, si vous sortez, faites attention à bien refermer la porte derrière vous. Moussia ne va pas à l'extérieur. C'est une chatte de race qui n'est pas faite pour courir la campagne. Voyez-vous, elle est née ici et n'a jamais quitté la maison. J'apprécierais que vous soyez attentive à ce détail.

Hou là! Ça, c'était nouveau! Une chatte de race à qui l'on interdisait de sortir se compromettre avec les matous mal léchés du voisinage! On ne rigolait pas avec les bonnes manières dans cette distinguée maison. Lorsque je la cherchai du regard, la tigresse en question avait disparu en même temps que «la gardienne des âmes du manoir». J'espérais sincèrement ne pas la retrouver sur mon chemin. Mais c'était un vœu pieux!

SEPT

Max et Roxane, joli duo, décidèrent de consacrer leur soirée à une mémorable partie de Scrabble. Très peu pour moi, j'ai horreur de ça. Mon frère n'est pas très fou de l'exercice non plus, mais il n'a pu trouver de prétexte pour se défiler. Comme il n'y avait pas de télé ni d'ordi visible à l'œil nu dans la vénérable maison, et que je n'osai pas demander si la civilisation télévisuelle ou informatique y était entrée, j'informai les deux joueurs que je me retirais dans mes appartements avec l'intention de passer la soirée à lire. Mais j'avais ma petite idée derrière la tête.

Toutes ces informations contradictoires au sujet de Bellotte me chicotaient. La bibliothèque m'attirait comme un aimant et plus particulièrement le paquet de lettres nouées d'un ruban bleu que j'avais remis à sa place dans le gros bouquin à tranche dorée.

Je m'enfermai donc dans le sanctuaire aux livres. Dehors, le vent s'était levé, chassant les nuages de pluie. Son mugissement rageur heurtait les fenêtres, s'infiltrant en souffle humide par les croisées mal jointes et soulevant les plis lourds des rideaux. Prise d'une crainte puérile, je vérifiai par deux fois qu'il n'y avait personne dans la pièce. Il faisait encore clair et un fugitif rayon de soleil vint jouer quelques instants sur les vieilles reliures en cuir des livres précieux, donnant à la pièce une allure de sanctuaire. Était-il possible de profaner un tel endroit par l'indiscrétion que je m'apprêtais à commettre ?

Les lettres étaient encore là où elles avaient été soigneusement dissimulées. Je me laissai tomber sur la banquette capitonnée du bord de la fenêtre. Lorsque je saisis le petit paquet, mes mains tremblaient et mon cœur battait la chamade. Avec précaution, je dénouai le ruban de soie bleue. Il y avait cinq lettres en tout. Je les dépliai lentement et les étalai sur la table devant moi. Par ordre chronologique, la plus ancienne était datée du 17 décembre 1927 et la plus récente du 30 juin 1928. À première vue, elles avaient été écrites par la même personne. À l'encre violette, une cursive penchée vers la droite avec des pleins et des déliés et de longs jambages un peu irréguliers... une écriture dynamique et un peu nerveuse.

La première lettre était rédigée sur un papier à en-tête gravé, provenant d'un orphelinat. Les autres étaient écrites sur des feuilles blanches à carreaux, manifestement arrachées à un cahier d'écolier. J'avalai ma salive juste avant de me mettre à lire.

17 décembre 1927

Chère Mademoiselle de Bellouan,

En mon nom personnel et en qualité de président du Conseil d'administration de l'Orphelinat de Ménéac, je tiens à vous exprimer notre plus profonde reconnaissance d'avoir accepté la présidence du bazar de charité de Noël prochain.

Grâce à vous, les pensionnaires de l'établissement que je dirige, tous pupilles de la nation, vont recevoir quelques douceurs que les conditions difficiles de leur quotidien n'auraient pu leur procurer. La caisse d'oranges et les chocolats seront, j'en suis persuadé, fort appréciés de nos petits pensionnaires.

Veuillez, je vous prie, transmettre toute notre gratitude à Madame votre mère, pour l'aide financière qu'elle accorde fidèlement, chaque année, à notre maison. Sans votre généreuse contribution et la distinguée présence dont vous honorez nos modestes fêtes, la vie des enfants que la guerre nous a confiés ne serait pas la même.

Croyez, chère Mademoiselle de Bellouan, en l'expression de ma très haute considération.

Docteur Michel Longré

Il y avait donc un Michel Longré. En comptant Aliette, la vieille grand-mère et le gardien du manoir, ça faisait un quatrième Longré ! Un de plus ! Autant de Longré, cela n'avait rien plus rien d'un hasard. Je me plongeai dans la seconde lettre.

30 mars 1928

Chère Isabelle,

Vous le savez, vous le sentez ! Nous ne devons plus nous revoir. Les quelques rencontres à la sauvette, volées à ce qui constitue nos vies, ne sont satisfaisantes ni pour vous, ni pour moi. Vous appartenez à un monde où je n'ai pas d'entrées et qui m'est interdit. Vous n'êtes pas sans savoir que j'ai de nombreuses obligations envers ma famille dont je suis le soutien principal et envers l'orphelinat qui requiert tous mes soins.

S'il est vrai que je vous aime depuis toujours, il est tout aussi évident que cet amour est impossible. Tant de choses nous séparent...

Si vous m'aimez aussi fort que vous le dites, ne répondez pas à cette lettre. Renoncez, je vous en conjure, à cette passion qui frise la folie et risque de nous détruire l'un et l'autre, l'un par l'autre.

Adieu ma vie. Je vous chéris et je vous baise les doigts.

Michel

Là, je venais de toucher la vérité. Il n'y avait plus rien d'officiel dans ce message. Isabelle de Bellouan aimait le docteur Longré, et Michel aimait Bellotte. Si je me replaçais dans le contexte de l'époque, avec les classes sociales bétonnées et étanches telles qu'elles existaient dans la vieille France, je saisissais assez bien pourquoi leur amour était impossible. J'avais tout de même bien du mal à l'admettre. Je comprenais l'insistance de Bellotte puisque c'était elle qui semblait relancer cette relation en favorisant les rencontres. Elle voulait vivre cette passion qui la possédait. La lettre était claire, même à la sauvette, ils se voyaient assez régulièrement.

La troisième missive me brûlait les doigts. À plusieurs endroits il y avait des taches d'encre, et des coups de plume rageurs avaient crevé le papier. Je la dépliai. Il fallait que je sache. C'était plus fort que moi.

20 avril 1928

Mademoiselle,

C'est en revenant de Vannes où j'étais pour affaires que j'ai appris la grande nouvelle. Ainsi donc, vous voici fiancée à Jean B. d'A., ce grotesque butor qui n'a de noble que le compte en banque. Toutes mes félicitations à votre mère qui n'a pas traîné à vous caser au mieux de ses intérêts.

Je ne puis croire que vous ayez accepté ces chaînes avec autant de légèreté que d'empressement. L'attachement que vous proclamiez à mon endroit n'était qu'un simple caprice de jeune aristocrate gâtée. Je me rends à cette évidence. Je suis vaincu.

Veuillez pardonner mon amertume. Tout est bien ainsi. Tout rentre dans l'ordre. Soyez assurée que je ne vous importunerai plus et que je vais mettre toutes mes énergies à oublier ce qui fut entre nous et m'interdire de penser à ce qui aurait pu être.

Avec mes vœux de bonheur.

Michel Longré

La lettre rageuse d'un homme jaloux, ulcéré, désespéré. Un cri, une insulte. Normal! Il l'avait écrite sous le coup de l'émotion. Bellotte s'était fiancée la semaine précédente. Il venait juste d'apprendre les fiançailles de sa bien-aimée avec un type qu'il avait l'air de connaître et de ne pas porter en haute estime et dont il ne voulait même pas écrire le nom en entier. En un éclair, je revis l'expression grave de Bellotte sur la photographie où elle posait avec Jean Brévelet d'Auray. Était-il possible que ce mariage lui ait été imposé ? Qu'allait-elle faire ? Se soumettre ? Ou quoi ? J'oubliai de respirer en saisissant la quatrième lettre. Puisque cette missive existait, cela voulait dire que la relation et les rencontres s'étaient poursuivies entre eux et que, par conséquent, elle n'avait pas obéi, la Bellotte.

25 juin 1928

Mon aimée, mon adorée,

Que te dire, ma douce, ma très chère, ma Bellotte !

Mes bras sont affreusement vides puisque tu n'y es plus. Je sens encore sur mon corps la caresse de ta peau de satin. Ton odeur de fleur s'est imprégnée dans le creux de mes mains. Le miel, mon amour, le miel et la foudre !

Tes baisers ont incendié mon cœur. Ton sourire a envahi toute mon âme. Plus rien d'autre n'existe. Ma vie est suspendue à ton souffle, à ce que tu vas décider.

Nous nous aimons depuis toujours, je le sais. Et cette passion qui nous a consumés comme des fétus de paille en cette nuit de la Saint-Jean où tu t'es toute donnée n'est que le prélude de ce que nous pourrions vivre, toute notre vie durant, si nous étions ensemble. Je te supplie de pardonner ma hâte et ma maladresse. Le reste de ma vie sera consacré à te chérir, à te rendre au centuple tout l'amour que tu m'as donné.

Brise toutes tes chaînes, ma très tendre. Enfuis-toi avec moi. Je suis prêt à tout perdre pour te garder. Comment vivre sans te voir, sans te caresser, sans te serrer contre moi, sans partager avec toi toute mon humanité?

J'ai le mal de toi ma mie, j'ai le mal de toi mon amante. J'ai mal de ton absence et de ta liberté.

Mon cœur est un oiseau fragile. Je le dépose entre tes doigts.

Michel

Extraordinaire lettre d'amour et de passion, même si tout ne semblait pas s'être passé idéalement comme en faisaient foi la «hâte» et «maladresse» auxquelles il faisait allusion! Je la lus plusieurs fois de suite, ses mots enflammés s'imprégnant dans ma mémoire: «le miel, mon amour, le miel et la foudre», «j'ai le mal de toi ma mie». Moi aussi, j'avais mal. Quelque part dans mon cœur, je ressentis soudain un grand vide, une immense attente. Quelqu'un écrirait-il un jour des mots semblables, juste pour moi? J'enviai Bellotte d'avoir su provoquer et nourrir une passion semblable. À m'en sentir jalouse. À m'en sentir misérable.

La dernière lettre était un petit billet de quelques lignes seulement, tracé à la va-vite, de façon désordonnée sur le papier.

2 juillet 1928

Ma merveilleuse,

Je t'attendrai cette nuit, à minuit, près de la brèche du mur. Emporte le moins de choses possible. Tout cela n'a pas d'importance.

Une voiture nous conduira vers une vie nouvelle où même la mort ne pourra nous séparer.

À toi pour l'éternité.

Michel

Et Bellotte était morte le 3 juillet, c'est-à-dire quelques heures plus tard. Si j'avais bien compris le sens de ces deux dernières lettres, elle vivait une passion folle avec son Michel. Elle s'était donnée corps et âme à son amoureux et elle avait décidé de s'enfuir avec lui, renonçant d'un seul coup à tous les avantages de sa fortune et de son rang. Que s'était-il passé pour que cette magnifique histoire se termine en tragédie ?

J'étais bouleversée. Je ne m'étais même pas rendu compte que je pleurais. Les deux mains sur la poitrine, serrant sur mon cœur le dernier billet de Michel Longré, j'eus soudain une nausée et mon corps devint mou comme si j'allais m'évanouir. Les murs tapissés de livres de la bibliothèque devinrent flous et s'effacèrent petit à petit.

Comme dans un mirage, une silhouette inconnue se dessina sur la vitre de la fenêtre, une fille très jeune et maigrelette, engoncée dans le tablier gris des petites servantes de cuisine... un visage ingrat encadré d'une couronne de tresses blondes, un regard bleu naïf, une bouche butée et des plis déjà profonds sur le front. Elle tenait à la main le billet que je venais de lire et lentement, sans qu'elle semble me quitter du regard, je la vis placer le papier dans la poche d'un pardessus suspendu dans l'entrée du manoir. C'était extraordinaire comme sensation, comme si on projetait un film juste pour moi et comme si je faisais partie de ce cinéma fantastique sans qu'on m'ait jamais demandé mon avis. La scène se poursuivait. L'adolescente aidait un homme à endosser son manteau. Elle refermait la porte derrière lui d'un air décidé en le suivant des yeux. Une voiture s'éloignait en faisant crisser les graviers de l'allée. Lorsque la gamine me regarda à nouveau, ses yeux étaient remplis de larmes et je l'entendis murmurer doucement: «Je ne voulais pas... mais je ne pouvais pas faire autrement!»

Je ne sais combien de temps je suis restée prostrée sur ma banquette, en serrant ce billet contre moi et en fixant la fenêtre qui était devenue noire de nuit. Peu à peu, les livres reprirent possession de la pièce et moi, je réintégrai mon présent. Mon malaise s'estompa, mon cœur reprit son rythme normal. Je haletais, comme si ma poitrine allait exploser si je me permettais de respirer trop fort.

Moussia était là. Je ne sais trop comment elle était entrée, mais elle s'était installée juste à côté de moi sur la banquette. Elle me regardait sans ciller. J'étais pétrifiée. Sans tenter le moindre geste vers elle, je repliai le billet et le posai sur ma cuisse. La chatte eut alors un comportement tout à fait bizarre. Elle approcha son nez du papier et en renifla longuement l'odeur puis elle se mit à miauler à petits coups. Un miaulement qui ressemblait à un gémissement désespéré. Triste, si triste que je ne pus m'empêcher de la caresser pour la consoler de ce qu'elle avait perdu. Nous étions enfermées, toutes les deux, dans la même bulle de chagrin.

HUIT

J'ai renoué les lettres avec le ruban de soie bleue et je les ai remises à leur place, dans le gros bouquin. J'ai fini par sortir de la bibliothèque, le cœur aussi lourd que les jambes. Je suis montée à la chambre et je me suis écroulée sur le lit à baldaquin, incroyablement chamboulée par tout ce que je venais de vivre et d'apprendre, la respiration courte et les yeux transformés en fontaine. Petit à petit, j'ai repris mon souffle et je me suis apaisée. Le portrait de Bellotte était juste devant moi, et elle me souriait dans tout l'éclat de son printemps de belle fille. Je comprenais fort bien qu'on ait pu faire des folies pour elle. Son visage, sa posture gracieuse, ses yeux sombres, ses longues mains fines exprimaient tout à la fois l'innocence et l'assurance, avec un petit quelque chose de pétillant et d'intrigant.

Toutou Max n'était pas encore revenu de sa chasse aux mots. La partie de Scrabble avec madame Roxane semblait s'éterniser. Qu'est-ce qu'elle pouvait bien lui raconter à mon frangin, depuis qu'elle lui avait mis le grappin dessus? Plus le temps passait, et plus je me méfiais de cette petite dame à l'emballage bonbon. Qu'est-ce qu'elle savait au juste de la passion qui avait uni Bellotte et Michel Longré?

Pour l'instant, il était urgent que je comprenne ce qui se passait en moi et autour de moi. J'avais toujours eu beaucoup d'intuition. Toute petite, je devinais très souvent ce qu'on voulait me cacher et je me souviens même d'avoir bouleversé ma mère en lui racontant que mon grand-père Théo était venu me dire au revoir en pleine nuit et m'embrasser... le lendemain du jour où on avait appris sa disparition. Tout le monde avait mis ça sur le compte de mon imagination débordante, sauf Mamicha qui avait pris ma «vision» très au sérieux. Dans ma petite tête, je savais bien que cette visite de mon aïeul était réelle. Enfin, quand je dis réelle, elle l'était juste pour moi. Pas pour tous ceux qui ne percevaient que la réalité visible.

Mais là, chez Bellotte, il se passait des événements qui dépassaient de loin le domaine de l'intuition ou de la simple imagination débridée. Toute cette fantasmagorie, cette compréhension des choses du passé, ce cinéma étrange qui me permettait de voir des événements anciens comme si j'y avais participé... ce n'était pas du vent, ce n'était pas de prétendues fantaisies de petite fille. J'avais en moi certains dons que je ne comprenais pas encore et qui me fichaient la trouille. Par ailleurs, pour être totalement franche, tout ce mystère m'excitait autant qu'il m'effrayait. Je pense que c'est à ce moment précis que, sans le décider consciemment, j'ai ressenti le désir irrépressible d'aller plus loin.

De toute façon, il fallait que je sache comment cette belle histoire avait foiré. Et je devais aussi protéger mon frère puisque Bellotte s'intéressait à lui. Pour quelle raison? À quelle fin? Cette possession, cette emprise malsaine qu'elle semblait vouloir exercer sur lui, c'était inquiétant. Je me donnais plein de bonnes raisons pour ne pas en rester là.

Comme Big Max ne revenait toujours pas et que son absence commençait à m'énerver, je suis redescendue pour explorer le rez-de-chaussée. Par la porte entrebâillée de la bibliothèque, j'ai fini par l'apercevoir, complètement absorbé dans ses paperasses poussiéreuses. Encore! Il allait en faire une overdose. Rassurée sur son sort, je décidai d'aller me coucher. Après avoir mis mon pyjama, je me suis installée dans le lit à baldaquin et j'ai entrepris de faire le vide dans mon esprit, en respirant lentement, comme j'avais appris à le faire avec ma grand-mère Macha. J'avais l'inexplicable certitude que Bellotte allait venir nous visiter cette nuit. Il fallait que je sois prête à l'affronter.

Je crois que je me suis un peu assoupie car je me suis réveillée lorsque Max est entré dans la chambre. Je l'ai entendu se brosser les dents dans la salle de bains. Il s'est ensuite penché vers moi pour voir si je dormais. Je n'ai rien fait pour le détromper. Il avait sans doute envie de me raconter les hauts faits de sa joute avec dame Roxane ou encore ses dernières découvertes archéologiques dans la bibliothèque, mais c'était bien les dernières choses dont j'avais envie d'entendre parler. Avec un soupir, il s'est dirigé vers l'alcôve, a balancé ses chaussures sans discrétion sur la descente de lit et s'est couché. Il a ensuite donné plusieurs coups de poing dans son oreiller et il a éteint la veilleuse. Quelques minutes plus tard, j'ai entendu sa respiration régulière de dormeur.

J'étais prête, bien lucide, partagée entre la peur et la hâte. Bellotte pouvait s'amener.

Elle est arrivée, précédée de la vibration étrange qui caractérisait sa présence. J'ai senti l'angoisse m'envahir et j'ai failli céder à la panique. Mais je savais comment il fallait agir : ne pas faire de mouvements brusques et envoyer vers le fantôme une onde de compassion et d'amitié.

Cette fois encore, la silhouette qui se trouvait devant moi était diaphane et transparente, mais je distinguais nettement sa robe blanche et la longue écharpe enroulée autour de son cou. L'éclat fugace d'une bague brillait à son doigt dans le rayon de lune qui passait par la fenêtre dont j'avais oublié de tirer les rideaux. Je voyais à peine son visage et, à la place de ses yeux, je n'apercevais que deux zones d'ombre. À cet instant, j'aurais encore pu faire marche arrière. Me cacher dans mon oreiller, me boucher les oreilles et le cœur, redevenir une fille ordinaire qui n'entendait rien aux spectres. J'avais encore la possibilité de choisir le rationnel, le tangible, le pragmatique. Personne ne m'obligeait à aller plus loin. Mais je suis restée à la regarder, suspendue au glissement léger de ses pas, en me demandant ce qu'elle allait faire.

Bellotte resta un long moment au pied de mon lit... de SON lit. J'ai senti l'ombre de ses yeux me percer intensément. Ce n'était pas moi qu'elle voulait voir. Très doucement, comme dans un rêve, elle me tourna le dos et flotta jusque devant son immense portrait, juste au-dessous du lustre en cristal. Elle leva la tête vers son image. J'ai nettement entendu le bruit d'un sanglot étouffé. Puis, elle se dirigea lentement vers l'alcôve où Max dormait comme un bienheureux. C'est là que je l'attendais.

Je m'étais levée sans faire de bruit et je m'étais plantée comme un bouclier au pied du lit de mon frère. Qu'est-ce qu'elle lui voulait à mon Maxou? Ma présence ne sembla pas la gêner du tout. Elle passa très près de moi et me frôla le bras. À ce contact, je ressentis un froid intense dans tout mon corps, comme la nuit précédente lorsqu'elle s'était arrêtée à côté de moi. En murmurant quelque chose que je ne compris pas, elle se pencha vers Max et avança la main vers son front. Il ne fallait pas qu'elle le touche. J'avais cette certitude. Alors, je lui ai parlé. D'une voix très douce et très lente, un peu monocorde, qui m'arrivait je ne sais d'où, je laissai remonter de mon cœur des mots que j'espérais suffisants pour la détourner.

— Bellotte, ce n'est pas celui que tu cherches. Il s'appelle Max. Il n'appartient pas à ton temps. Ne lui fais pas de mal. Il ne peut rien pour toi. C'est mon frère et je l'aime...

Surpris par ma voix, le fantôme de Bellotte se tourna vers moi. Sa main retomba. J'ai de nouveau entendu le sanglot de son très ancien chagrin et j'ai distingué une sorte de lueur dans les zones obscures de ses yeux. C'est alors que j'ai entendu ces mots, directement dans ma tête, à peine audibles, comme s'ils venaient de très loin.

— Michel! Je cherche Michel. Je dois le retrouver. Il doit me pardonner.

— Te pardonner quoi, Bellotte? Voilà bien longtemps que tu es partie. Et lui aussi. Tu n'appartiens plus au présent. Pourquoi reviens-tu hanter les lieux de ton passé? Dis-moi ce que je peux faire pour toi.

— Michel! Je dois le retrouver, le revoir. Je l'ai trahi...

Immobile et glacée, j'ai perçu le froissement soyeux de sa jupe qui s'éloignait de l'alcôve. Près du mur, elle s'est retournée vers moi puis elle a disparu, comme la première fois, en passant au travers. C'était affolant, cette histoire!

Max s'est à moitié réveillé. En m'apercevant au pied de son lit, il a vaguement grogné quelque chose comme « s'que tu veux, Isa? » et il s'est retourné sur le ventre, comme une masse, un pied en dehors des couvertures. J'ai réintégré mon propre lit.

En quelques secondes, une foule de questions a submergé mon esprit. Pourquoi Bellotte avait-elle parlé de trahison? Qu'est-ce qui s'était passé lors du dernier rendez-vous? Avait-il seulement eu lieu? Et cette petite bonne femme qui plaçait la lettre dans la poche de Jean Brévelet d'Auray, qui était-elle? Pourquoi avait-elle fait ce geste? Je grillais d'en savoir davantage. Il fallait que je sache. Il le fallait absolument. Et d'abord, où était passée Bellotte? Est-ce qu'elle hantait les autres chambres du manoir? Celle de Robert qui était juste à côté?

En trois bonds, je me suis retrouvée dans le couloir, pieds nus sur le plancher. Comme la veille, la porte était ouverte puisque la pièce était inoccupée. Installée sur le fauteuil, Moussia se léchait les pattes. Lorsqu'elle me vit, la tigresse cessa son manège et me fixa intensément, aussi immobile qu'une statue égyptienne. Je ne tentai pas un geste vers elle. Ses réactions étaient vraiment trop imprévisibles. Je la laissai à sa toilette, sa douce fourrure blanche luisant comme une perle dans le clair de lune qui habillait la fenêtre. C'était tellement bizarre que cette bête se trouve toujours dans les parages lorsque Bellotte arpentait son royaume. Y avait-il un lien entre cette chatte et la jeune morte? Je pressentais que oui... mais une méchante petite voix logique me soufflait en même temps qu'un chat ne peut pas vivre plus de quinze ou seize ans, alors que Bellotte était morte depuis plus de quatre-vingts printemps. Alors?

Une grande lassitude me submergea brutalement. Je n'en avais pas eu conscience sur le moment, mais j'avais dépensé une énergie folle dans cette rencontre de quelques instants. Mon cœur battait comme si j'avais couru le marathon et je sentais une étrange oppression autour de ma gorge, comme l'empreinte d'un foulard de soie trop serré qui m'empêcherait de respirer. Tout d'un coup, je me sentis affreusement seule, presque désespérée. Tout contact avec le monde des ombres exigeait un tribut. Je venais de l'apprendre à mes dépens.

Comme une somnambule, j'ai rejoint le lit de Bellotte et je me suis réfugiée sous sa courtepointe bleue. Je savais qu'elle ne reviendrait pas cette nuit-là. Je pouvais dormir tranquille... ou tout au moins essayer.

Le lendemain matin, j'ai eu bien du mal à émerger et je me suis réveillée avec un mal de bloc à tout casser. Max me secouait gentiment. Sur la table de nuit, il avait déposé un plateau avec du thé et des croissants. Il est gentil quand il veut, Big Max. Il faisait un temps splendide et le soleil jouait dans la mousseline des rideaux qu'une petite brise légère faisait onduler.

— Debout, Isa, il est presque dix heures. Allez hop! Ça fait plus de deux heures que je suis levé et que j'essaie de te sortir des bras de Morphée. Ça va ce matin?

— Je suis fatiguée... j'ai mal à la tête.

— Mange un peu, ça va t'aider. Je vais te chercher des aspirines. Et ensuite, tu te lèves. On part en excursion.

— Hein? Où ça?

— Déjà oublié? On va à Brocéliande. Je t'en ai parlé pas plus tard qu'hier. Madame Brévelet ne peut pas nous y conduire parce que plusieurs couples d'Allemands viennent de débarquer au manoir, mais son jardinier va nous déposer à l'entrée du site. Il doit faire des commissions dans le coin. On reviendra en fin d'après-midi par le car local qui passe à Ménéac et on retrouvera notre palace à trente euros au retour. C'est l'idéal, non? Ça te va, Frangine?

Non, ça n'allait pas fort mais je n'ai rien dit. Je n'avais pas une envie folle de me payer ce que j'imaginais comme une immense trappe à touristes, mais je ne voulais pas lui gâcher son plaisir à mon Maxou, même s'il me forçait drôlement la main. Moi, je serais bien partie tout de suite vers Nantes, via Ploërmel, mais comme il n'y avait pas moyen de faire décoller Max du manoir, je me suis résignée à l'accompagner. Je ne pouvais tout de même pas le laisser tout seul.

Après avoir mangé, je me suis sentie un peu ragaillardie mais encore assez ébranlée par mes activités nocturnes. Monsieur Longré nous attendait en rangeant des trucs dans le garage. La petite Renault était garée sur le bord de la route, de l'autre côté de la grille. Il ne manquait plus que nous.

Le vieux monsieur sortit du garage dès qu'il nous entendit. Il me salua d'un petit sourire entendu – nous étions déjà de vieilles connaissances – mais il s'arrêta pile devant Max d'un air interloqué et le dévisagea pendant une bonne minute. Sans prononcer un mot, il se mit au volant. Max squatta tout de suite le siège du passager pour y installer ses grandes pattes. Je me pelotonnai à l'arrière, en chien de fusil, en occupant les deux sièges.

Une demi-heure et une trentaine de kilomètres nous séparaient de la forêt de Brocéliande. Le ciel était d'un bleu laiteux très doux avec quelques petits nuages qui jouaient à saute-mouton. Pas trop chaud. La journée idéale pour visiter.

NEUF

C'était tout à fait ce que j'avais imaginé : la trappe à touristes. Dix-huit autocars, venant de tous les azimuts, étaient cordés dans le parking, à l'entrée du site. Sans compter une flopée de voitures individuelles. On allait découvrir la forêt de nos rêves en se tapant la multitude de Japonais, d'Anglais, de Nordiques, d'Américains de tout poil et autres « *Homo touristicus* » chargés de leurs multiples appareils à fabriquer des souvenirs exclusifs. Je poussai un gros, un immense soupir de découragement qui n'échappa pas à notre conducteur. Il se gara sous un arbre et sortit de la voiture en même temps que nous.

Monsieur Longré se dirigea en claudiquant vers le kiosque d'accueil. Il échangea quelques mots

avec la préposée aux billets qui nous fit signe
de passer avec un sourire. Gratos! Toujours ça de
pris. Il y avait au moins un avantage d'être en compagnie d'un autochtone.

Sur une esplanade, à l'entrée de la forêt, on
apercevait un arbre mort, entièrement recouvert
de peinture dorée : c'était l'Arbre d'or, le sym-
bole de l'enchantement qui habitait la forêt sacrée
et qui l'avait fait renaître de l'oubli. C'était devant
lui que s'ouvrait la visite. Impossible de s'en
approcher pour en savoir plus sur son origine et
son histoire, les hordes des autocars voulant toutes
se faire photographier devant. On entendait des
exclamations ravies dans toutes les langues. Max
semblait un peu déçu et moi, je m'enfonçais de
minute en minute dans la morosité.

Plusieurs sentiers s'ouvraient devant nous. À
certains endroits, des conteurs déguisés en chevaliers ou en ménestrels du Moyen Âge surgissaient
de derrière un rocher, une touffe de bruyère ou
un bouquet de fougères pour raconter, en quelques minutes, les hauts faits du personnage qu'ils
incarnaient. Beau job d'été pour des étudiants !
Une petite foule compacte et attentive se pressait
devant chacun d'eux. À la file indienne, les pèlerins
des temps modernes suivaient avec attention les
balises du chemin. On leur avait accordé deux

heures – pas une minute de plus – pour faire le tour du circuit et il n'était pas question pour eux de perdre du temps. Certains discutaient avec force gestes, leur guide bleu, vert ou jaune en main. D'autres se permettaient une pause sur un carré de pelouse et déballaient leurs sandwichs. Des enfants couraient dans tous les sens en criant comme tous les morveux de leur âge. Au milieu de toute cette foire, on était bien loin de la ferveur religieuse qu'on avait imaginée lorsqu'on avait rêvé de visiter Brocéliande.

Monsieur Longré ne nous avait pas lâchés d'une semelle. Il nous entraîna, de son pas brisé, vers un bosquet compact où s'ouvrait une minuscule sente, non balisée, donc délaissée par les touristes.

— Venez par ici, nous serons plus tranquilles.

Max et moi, on marcha dans ses pas pendant une bonne dizaine de minutes. Lentement, les bruits de la foule et des véhicules s'estompèrent et la forêt se mit à respirer autour de nous. Vénérables gardiens de tous les mystères anciens, les arbres étaient immenses et magnifiques, leurs troncs torturés tapissés de mousse verte, leurs longues branches bercées par la brise tiède. La mélodie du vent était habitée de multiples chants d'oiseaux et de stridulations d'insectes. Des rayons dorés perçaient les frondaisons épaisses pour se perdre sur le sol en flaques de lumière mouvante. La magie du lieu nous prit à la gorge. À un moment donné, alors qu'on longeait un petit étang paresseux entouré de roseaux où pataugeait une marmaille de canards, je saisis spontanément la main de Max. Il me serra les doigts à me les briser. On se retrouvait sur la même longueur d'onde. C'était bon.

Presque invisible, une maisonnette se matérialisa derrière un bosquet. Monsieur Longré la désigna d'un signe de tête.

— Le gardien. Un ami à moi. On se connaît depuis la maternelle. Lui, il sait toutes les histoires de la forêt et il peut vous raconter des choses bien plus intéressantes que les jeunes bardes qui amusent les touristes.

Le vieil homme frappa à la vitre. La porte était ouverte. Il entra sans attendre de réponse et ressortit presque aussitôt avec un autre vieux, vêtu d'un uniforme bleu. Son sourire était bienveillant. Max lâcha ma main. Il était prêt à se faire raconter monts et merveilles. Tous les deux, on était bien conscients d'être privilégiés, d'avoir échappé à la banalité des autocars bondés, d'être au cœur vrai de cette forêt mythique.

La conversation s'engagea avec une facilité déconcertante. Max posait plein de questions sur la forêt, les chevaliers, Gauvain, Arthur, Lancelot,

Galaad et compagnie. L'autre était un vrai puits de science. Je me sentais un peu larguée face à cette énumération de héros, de créatures plus ou moins monstrueuses ou magiques, d'épées fabuleuses, de mages, de batailles et d'intrigues... Monsieur Longré s'approcha doucement de moi et mit la main sur mon épaule.

— Aimeriez-vous voir l'étang de Viviane ?

Là, au moins, j'étais en pays de connaissance. Toute ignorante que j'étais, je connaissais tout de même l'histoire de l'enchanteur Merlin et de Viviane, la magicienne dont il était si amoureux qu'il partagea avec elle tous ses pouvoirs et devint son prisonnier d'amour. Je souris. Bien sûr que je voulais voir l'étang de Viviane. Mon cœur me disait que quelque chose d'inattendu m'y attendait.

Après nous être entendus pour nous retrouver au kiosque de l'entrée un peu avant 19 h, je quittai Max et son encyclopédie ambulante pour suivre à nouveau mon guide. Avec le recul, je m'en étonne encore mais, à aucun moment, je ne me suis sentie en danger dans cette forêt profonde et oppressante. Pourtant, je ne connaissais cet homme que depuis quelques jours et je n'avais pas échangé plus de dix phrases avec lui. Son attitude envers moi était tellement respectueuse, presque déférente, que je me sentais en parfaite confiance. Ma mère aurait sûrement hurlé devant ma totale inconscience. Il aurait pu m'arriver n'importe quoi! Elle n'aurait pas eu complètement tort.

Monsieur Longré avait saisi mon bras et me guidait sur le sentier avec autant de fermeté que de gentillesse. Je me sentais comme dans un état second, extrêmement réceptive à tout ce qui m'entourait. Je serais incapable d'expliquer comment cela s'est produit mais, à un moment donné, je me suis retrouvée seule sur le petit chemin. Mon guide avait disparu, avalé par l'ombre des arbres, pourtant, l'instant d'avant, je sentais encore la chaleur de sa main noueuse sur mon bras.

En un éclair de lucidité, j'ai regardé à droite et à gauche, devant et derrière. Personne! Une vague angoisse m'a submergée. Paradoxalement, je sentais que je n'avais rien à craindre. J'étais ici en pays ami. ON m'attendait quelque part, un peu plus loin. Perdue dans cette forêt inimaginable, je fus quelques instants déchirée entre l'envie folle de rebrousser chemin et la force irrésistible qui me poussait à découvrir cet endroit où ON m'attendait. La soif immense qui brûlait mon cœur l'emporta sur toute prudence ordinaire.

Une centaine de mètres plus loin, j'arrivai devant une fontaine. C'était un petit bassin naturel entouré d'une margelle de pierres grossièrement taillées, alimenté par une source vive qui jaillissait entre un amas de rochers gris. Des fougères et des verdures diverses poussaient en fouillis vert tout autour. L'eau de la fontaine s'écoulait dans un ruisseau tapissé de grosses ardoises plates et se perdait dans un petit lac immobile : l'étang de Viviane. À cet endroit, la forêt était tellement dense que le soleil n'arrivait pas jusqu'au sol. Il faisait sombre et humide et les chants de la vie semblaient incapables de parvenir jusque-là. J'étais arrivée dans un lieu sans âge où le temps n'existait plus. Il n'y avait personne.

Comme dans la chambre de Bellotte la nuit précédente, j'ai deviné ce qu'il fallait faire. Je me suis agenouillée devant l'étang et j'ai plongé mes deux mains dans le miroir d'onde en respirant le plus lentement que je pouvais. Le vide s'est fait en moi. J'ai oublié qui j'étais, d'où je venais, tout ce que je savais, tout ce que je pensais, tout entière dans l'attente de ce qui allait se passer. Je n'ai pas été surprise quand ELLES sont arrivées.

Tout d'abord, j'ai senti comme une caresse au bout de mes doigts. Ensuite, mes mains glacées ont été réchauffées par des mains invisibles et cette chaleur bienfaisante s'est propagée à tout mon être. Je me suis sentie heureuse comme je ne l'avais jamais été, et légère comme une bulle de savon. Ensuite, j'ai quitté mon corps pour plonger dans l'onde. Au fond d'une nappe d'eau secrète, elles m'attendaient, les âmes sans âge qui peuplaient l'étang de Viviane, et je suis allée vers elles avec une infinie reconnaissance. Elles étaient bien plus anciennes et bien plus sages que moi, mais j'appartenais à leur famille. Elles m'ont accueillie avec amour et curiosité. Cela faisait si longtemps qu'elles n'avaient pas reçu une visite comme la mienne. Plusieurs siècles peut-être. Elles me caressaient de leurs cheveux et de leurs sourires, en m'appelant «petite sœur». Elles allaient m'aider à découvrir et à utiliser les forces qui dormaient en moi. J'étais totalement fascinée par leurs présences. Elles me mirent cependant en garde. À l'époque pragmatique où je vivais, peu de gens croyaient encore au merveilleux et, si je ne voulais pas passer pour une névrosée bonne à enfermer, la discrétion était de mise. Ce fut pour moi comme une seconde naissance, un baptême païen, le début d'une nouvelle vie.

Juste avant de partir, j'ai senti que je devais laisser quelque chose de moi à cet endroit sacré. Une pierre de silex était posée sur le rebord de la fontaine. J'ai coupé une mèche de mes longs cheveux roux et je l'ai posée à la surface de l'étang.

En tournoyant lentement, mes cheveux se sont enfoncés dans l'eau. Mon cadeau était accepté, autant que ma promesse de revenir un jour...

Je ne peux en dire plus...

J'ai retrouvé mon frère à l'heure dite, devant le kiosque de l'entrée. Les autocars avaient tous disparu et il restait moins d'une dizaine de voitures dans le parking. Le gardien l'avait accompagné jusque-là et ils bavardaient encore comme de vieux copains sans se soucier de l'heure. Monsieur Longré était invisible. Big Max me scruta avec attention. Il avait tout de suite senti qu'il m'était arrivé quelque chose de spécial. On n'est pas des jumeaux pour rien.

— Ça va, Isa?

— Bien sûr, Maxou. Allez, je pense qu'il faut qu'on se remue un peu sinon on va manquer l'autocar de cinq heures. Au revoir, monsieur, et merci pour tout!

Le vieillard me sourit avec bonté. Pendant une seconde, je me demandai si, à l'instar de monsieur Longré, il était une sorte de guide, lui aussi, et s'il connaissait la fontaine, l'étang et leurs secrets. Était-ce un lieu exclusivement réservé aux femmes ou encore aux initiés? Étais-je devenue une initiée? Je me questionnai subitement sur tout ce que je venais de vivre.

Je suis vite redescendue sur terre lorsque l'autocar nous est passé sous le nez avant qu'on ait eu le temps de rejoindre la guérite d'arrêt. On avait le choix. Ou bien attendre celui qui passait à 20 h ou bien faire du pouce. C'est ce qu'on a fait, même si notre père nous avait mille fois mis en garde contre cette façon de voyager. En moins d'une demi-heure, on était de retour à Ménéac.

Avant de rentrer au manoir, j'ai proposé à Max d'aller faire provisions de quelques grignotines à l'épicerie. Dès qu'il s'agit de bouffe, il est d'accord car il a toujours un petit creux à combler quelque part. En sortant avec un sac à provisions bien chargé, j'ai obliqué vers le bar-tabac pour saluer Aliette, une petite idée en tête. Je voulais vérifier quelque chose.

Une demi-douzaine de clients prenaient l'apéro au comptoir et plusieurs tables étaient occupées. C'était le «coup de feu», comme disent les Français. Il y avait pas mal de bruit. Entre deux tournées, Aliette nous a souri chaleureusement et a pris le temps de nous tenir une conversation à sens unique puisqu'elle posait les questions sans nous laisser le temps de répondre.

— Alors, bonne journée ? Au moins, vous avez eu du beau temps aujourd'hui. Pas comme hier. C'est lui, votre frère ? Ben, on peut pas dire que vous vous ressemblez beaucoup. Il a une bonne tête de plus que vous. Vous retournez bientôt chez vous, dans votre froid pays ?

Près de la fenêtre, à sa place habituelle, j'avais tout de suite noté la présence de la vieillarde. Lorsqu'elle m'aperçut, elle esquissa un petit signe de la main, mais elle le suspendit dès qu'elle avisa Max qui piétinait à côté de moi. Elle mit sa main devant sa bouche. L'expression de son visage passa de l'étonnement au désespoir en quelques secondes seulement. Puis elle se leva et nous rejoignit le plus vite qu'elle put en s'appuyant aux tables.

Elle se planta devant mon frère et ses yeux bleus sertis de rides se mirent à couler. Pas un son ne sortait de sa bouche. C'était pathétique de la voir ainsi aussi fragile et désarmée ! Dans le bar, les conversations s'éteignirent une à une devant l'étrangeté du spectacle. Max était complètement dépassé par la situation. C'était bien la première fois qu'il faisait un effet pareil à une vieille dame. D'habitude, il avait plutôt le tour pour les charmer et les faire sourire. Aliette contourna prestement son comptoir et s'approcha de la grand-mère qu'elle prit doucement par la taille.

— Qu'est-ce qui se passe, mémère Jeanne ? Tu te sens pas bien ?

La vieillarde sortit un immense mouchoir en tissu de sa manche et se tamponna les yeux à petits coups nerveux. Son visage cireux exprimait un désarroi total, mais je remarquai une lueur étrange dans son regard. Elle saisit le bras de Max et le tâta fébrilement à plusieurs endroits pour s'assurer qu'il était bien réel.

— Michel ?

— Mais non, mémère Jeanne, c'est pas Michel ! C'est le frère de la petite demoiselle qui est venue hier après-midi. Tu te souviens ? Les jeunes Canadiens. Ils sont au manoir.

J'avais la réponse à une de mes intuitions. Il devait y avoir une sacrée ressemblance entre Michel et Max pour que la vieille dame en soit aussi bouleversée. Mais avec le temps, peut-être que sa mémoire lui jouait des tours. C'est alors que je me souvins du regard insistant de monsieur Longré lorsqu'il avait vu Max pour la première fois. Lui aussi, il avait fait le rapprochement.

La vieille se tourna vers moi. D'un ton véhément et presque haineux que je n'aurais pas soupçonné chez elle, elle me lança :

— Faites ce que vous avez à faire et ensuite, partez ! Emmenez-le loin d'ici pour que toute cette histoire se termine. Après, peut-être que je connaîtrai enfin la paix !

Là, j'ai connu un instant de profond malaise. Je ne savais pas quoi dire. J'ai harponné le bras de mon frère et je l'ai poussé dehors. Aliette nous a suivis sur le trottoir, son torchon à essuyer les verres à la main. Elle aussi, elle était toute chamboulée par l'agressivité de la grand-mère.

— Excusez-la. Elle est très vieille et très fatiguée. Je ne sais pas ce qui lui a pris de vous dire tout ça. Et n'oubliez pas ce que je vous ai dit. Si vous avez besoin d'aide, j'habite juste à côté. De jour comme de nuit, hein ?

Max était estomaqué. Il y avait de quoi. Je commençais à comprendre bien des choses mais lui, il en était encore à la case départ. Pendant les quelques minutes de marche qui nous séparaient du manoir, il me bombarda de questions. Qui était cette vieille ? Pourquoi l'avait-elle appelé Michel ? C'était qui, ce Michel ? Qu'est-ce qu'il fallait que je fasse de spécial, moi ? Il voulait tout savoir. Je lui ai répondu vaguement, sans entrer dans les détails, en restant dans le général et le plausible. Rationnel comme il l'était, si je lui avais raconté mon histoire de fontaine et d'étang ou encore mon cinéma sur la vitre noire de la bibliothèque, il m'aurait encore traitée de débile. J'avais eu un aperçu de sa façon de réagir lorsque j'avais voulu appeler nos parents. Si je voulais nous tirer indemnes de cette aventure, j'avais intérêt à garder certains détails secrets.

Le manoir de Bellotte n'avait jamais semblé aussi accueillant que dans la lumière oblique de cette belle soirée d'été. Toutes les lumières du rez-de-chaussée étaient allumées et plusieurs voitures étaient garées dans l'allée, le long des parterres flamboyants qui exhalaient leurs parfums sucrés dans la rosée nocturne.

DIX

Un petit mot nous attendait dans la chambre de Bellotte. Pour le repas du soir, un plateau était prévu pour nous dans la cuisine. «On» s'excusait de ne pas nous convier à la grande salle à manger, avec les autres hôtes de la maison, mais «on» n'avait pas été prévenu de notre heure de rentrée au bercail et «on» pensait que ce serait mieux ainsi pour tout le monde. Je soupçonnais également que nos trente misérables euros de pension ne nous donnaient pas droit au souper gastronomique cinq étoiles prévu dans les forfaits d'exception des convives habituels. Pour tout dire, cette solution faisait bien mon affaire, car je n'avais pas envie de me taper toute une tablée de gens qui allaient encore s'extasier de notre «beau pays de neige» et de «nos aborigènes emplumés». Mais Max semblait un peu désappointé de se voir écarté sans façon.

Vers vingt heures, on est descendus faire un tour dans la cuisine. Ceinte d'un grand tablier blanc, une femme qu'on n'avait jamais vue s'activait devant le grand poêle en fonte, au milieu d'une multitude de chaudrons. Elle nous salua d'un gentil sourire en nous indiquant d'un geste où se trouvait notre pitance. Elle n'avait vraiment pas le temps de nous faire la conversation. Une petite jeunette d'à peu près notre âge, robe noire et tablier blanc, qu'on n'avait jamais aperçue avant elle non plus, portait les plats à la salle à manger et plaçait les assiettes sales dans le lave-vaisselle à son retour. C'était la foule, quoi!

Le visage de Max retrouva toute sa bonne humeur lorsqu'il avisa le plateau qui nous attendait. Une boule de pain, deux grosses cuisses de poulet froid, une salade de tomates, un camembert et deux pointes de tarte aux cerises. Pas encore aujourd'hui qu'on allait se coucher à jeun! Saisissant le plateau, mon frère m'entraîna avec autorité vers une partie de la maison que je n'avais encore jamais visitée, une petite salle de séjour chaleureuse, à l'autre extrémité du rez-de-chaussée, nettement moins luxueuse que le grand salon Louis XIV où on avait été rescapés. Cette pièce n'était pas faite pour les distingués touristes de passage : des plantes partout, des journaux qui traînaient sur une table, un canapé confortable un peu défraîchi, un panier rempli de pelotes de laine d'où dépassaient des aiguilles à tricoter... et UNE TÉLÉ. Il y avait quand même une trace du XXIᵉ siècle dans cette vénérable baraque !

J'ai tout de suite compris que c'était là que le chevalier Max avait jouté la veille avec dame Roxane pour leur tournoi de Scrabble. Je n'avais pas eu à me creuser longtemps les méninges car la boîte du jeu était bien visible, posée sur le coin d'un bahut. Comme un vieil habitué des lieux, mon frère s'installa sur le canapé devant la télé et entreprit, tout en vidant son assiette à grandes bouchées, de zapper avec ferveur. Il finit par tomber sur une chaîne de dessins animés et se cala dans les coussins avec béatitude, un verre de cidre à la main. Le bonheur total !

Moi, j'avais d'autres projets pour la soirée et, après notre repas, je le laissai en tête à tête avec Bugs Bunny. En rejoignant la bibliothèque, je passai devant la salle à manger d'où s'échappait une conversation animée ponctuée de rires. Madame Brévelet présidait la tablée avec sa distinction habituelle. Tant mieux ! Personne ne viendrait me déranger. J'allais ainsi être bien tranquille.

Après vérification, je constatai qu'il n'y avait strictement rien dans les classeurs accordéon concernant Michel Longré. À croire qu'il n'avait jamais existé. Pourtant, comme médecin et directeur de l'orphelinat de Ménéac, il aurait pu y avoir des coupures de journaux, des cartons d'invitation, des faire-part... je ne sais pas moi, une trace de sa vie dans ce bled. Alors que tellement d'autres trucs anecdotiques et sans importance encombraient ces classeurs. Rien, *nada, nothing*! Il y avait, bien sûr, les cinq lettres au ruban bleu. Et pourquoi ces lettres, dont le sens était si évident pour qui les lisait, n'avaient-elles pas été détruites, elles aussi, si tout ce qui concernait le docteur Longré l'avait été? J'aimais croire qu'elles avaient été gardées précieusement et dissimulées par la suite dans le gros livre afin que tous les souvenirs concernant Isabelle de Bellouan se retrouvent ensemble. Ce bon Samaritain n'avait pas eu le cœur de détruire l'ultime trace de la passion qui avait uni Bellotte et Michel. Mais pourquoi les avoir rangées là, où on pouvait les trouver assez facilement? Puisque je l'avais fait, d'autres pouvaient le faire aussi. Et madame Brévelet, connaissait-elle l'existence de ces lettres?

Je regardai autour de moi les rayons de la bibliothèque, tous ces beaux livres reliés en cuir, cordés les uns à côté des autres, fermés sur le mystère de leurs pages cachées. Beaucoup de poussière vénérable tapissait leurs tranches dorées. Quelques toiles d'araignée décoraient les encoignures des étagères. Non, les hôtes de passage ne s'attardaient pas dans la bibliothèque et délaissaient les vieux bouquins humides. Ce formidable écrin du savoir n'était en fait qu'une vitrine. Et les classeurs n'avaient pas été ouverts récemment puisque les fleurs de Bellotte, conservées dans leur enveloppe de soie, étaient tombées en poussière lorsque je les avais touchées.

Que s'était-il passé entre les deux amoureux? Je voulais tellement comprendre. Tellement savoir! J'ai appelé le fantôme de Bellotte.

Assise près de la fenêtre, j'ai regardé la nuit prendre possession du parc. Une myriade de lucioles s'allumèrent dans les parterres de fleurs. J'apercevais la grille grande ouverte, au bout de l'allée, encadrée de deux grosses lanternes. L'attente. Devant mes yeux, une vision s'approchait. Je le sentais et je n'avais pas peur. Mes tempes se mirent à vibrer douloureusement. Je ne pouvais pas résister. Le calme se fit lentement en moi et, tout doucement, les images se précisèrent derrière mes paupières closes.

Il fait nuit noire et, à part le craquement vénérable des poutres, plus aucun bruit n'habite le manoir. Bellotte ne s'est pas endormie. Elle est allongée tout habillée sur son lit. Le clocher de l'église de Ménéac sonne une fois, deux fois. Elle se lève sans bruit, descend l'escalier de son pas léger sans le faire craquer, et sort dans le parc. Elle est fébrile. Son Michel l'attend près de la brèche du mur qui n'a pas encore été réparée. Lorsqu'il l'entend venir, il saute sur la pelouse pour la rejoindre. Elle se jette dans ses grands bras chauds. Elle adore son odeur, sa force, sa voix, le goût de ses lèvres et de sa salive. Ils s'embrassent passionnément. Bellotte a les jambes molles, le cœur en pleine folie, le corps impatient. C'est cette nuit ou jamais. Elle va se donner à lui. Il sera le premier, le seul, l'ultime. Elle l'aime et l'attend depuis toujours. Elle a tout fait pour en arriver là. Que sait-elle de l'amour, mademoiselle de Bellouan? Pas grand-chose. Quelques caresses un peu osées entre filles dans les chambrettes du pensionnat, la vision fugace d'un accouplement de chiens qui l'a mise d'autant plus mal à l'aise qu'elle l'a excitée. Elle est ce qu'on appelle une oie blanche. Mais Michel, lui, il doit savoir. Il va l'amener jusqu'au plaisir extrême dont on parle dans les livres défendus de la bibliothèque, ceux de l'étagère du haut... Elle a tellement hâte qu'elle en pleure.

Ils traversent le champ de trèfle. Près du village, ils aperçoivent le reflet du feu de la Saint-Jean où tous les jeunes du coin se sont donné rendez-vous. Musique et rires, c'est la fête. Cette nuit, beaucoup de bosquets seront habités de soupirs et de gémissements. Cependant Michel n'a pas l'intention d'étendre sa princesse sur l'herbe humide. Voilà la grande bâtisse de l'orphelinat. Il a les clés du paradis dans sa poche. Ils montent un escalier étroit. Une dernière porte qu'il ouvre. Il s'efface pour la laisser passer. Sa chambre. Une petite pièce spartiate, sans décor, presque anonyme où il ne vient que pour trouver quelques heures de repos. Elle ne voit rien. Elle regarde fixement le lit qui va les accueillir. Elle tremble. Elle a peur, soudain. Il allume une lampe en cuivre.

Doucement, il dénoue sa longue écharpe. Il la regarde avec adoration. Il est muet. Elle s'est faite belle pour lui. Elle a mis sa robe blanche en satin. Il s'approche d'elle, respire son parfum, découvre le grain de sa peau qu'il n'a jamais vu de si près avec une ferveur presque religieuse. Est-il possible que cette merveille dont il a toujours rêvé soit ici, dans sa petite chambre d'homme solitaire? L'émotion l'étouffe. Il défaille presque, Michel, il a soudain très chaud et s'assoit sur le lit, les tempes perlées de sueur.

Bellotte savoure la parfaite emprise qu'elle a sur lui. Il est à elle et il l'aimera toujours. Elle le sait. Lentement, elle fait glisser ses bretelles. Sa robe tombe en corolle à ses pieds. Elle est devant lui, grande et mince dans ses précieux dessous brodés. Elle enlève ses chaussures et s'agenouille devant lui. Maladroitement, elle déboutonne sa chemise et découvre son torse. *Il est presque maigre, les muscles noueux. Elle n'ose aller plus loin.*

Le désir de Michel est presque insupportable. D'un geste, *il la bascule sur le lit. Il la couvre en entier de son corps. Il est soudain très pressé et perd la tête. Bellotte se crispe, envahie par la peur. Elle ne s'attendait pas à une telle force brutale, à une telle frénésie. Qu'est-ce qu'elle imaginait, Bellotte ? Ce que toute jeune fille aimerait vivre : des caresses douces, un lent apprivoisement du corps masculin, une découverte paresseuse et unique du plaisir... Ce qu'elle vit est aux antipodes de tout cela.*

Michel dénude la poitrine nacrée de Bellotte, son ventre, *son sexe secret. Elle est si belle qu'il en gémit. Il écarte ses cuisses et la pénètre tout de suite. Elle ne crie pas, mais tout son corps se cabre sous l'outrage. Il sait bien qu'il ne fait pas ce qu'il faut, qu'il devrait être plus patient, plus doux avec elle, ne pas la brusquer ainsi. Mais c'est plus fort que lui. Il attend cet instant depuis des années. Que sait-il de l'amour, le docteur Michel Longré, à part ce qu'il en a appris sur les planches anatomiques de ses livres savants ? Quelques rencontres avec des prostituées, des aventures avec des filles du coin, sans passion et sans lendemain. Accaparé par ses multiples responsabilités, il n'a jamais eu le loisir de raffiner sa technique amoureuse.*

Quelques coups de reins, quelques halètements fugaces, un *cri animal de douloureuse jouissance... en quelques minutes,* tout est terminé. Michel garde Bellotte serrée contre lui. Il s'en veut à mort de son impatience. La possession de cette femme aimée ne lui a pas apporté l'apaisement qu'il en attendait. Son amoureuse pleure à gros sanglots dans ses bras. Il retrouve alors la douceur, les caresses, la patience qu'il aurait dû avoir dès le début. Il est habité par un immense regret, celui d'avoir gâché un instant unique qui ne se représentera plus.

Bellotte est bouleversée. Sa déception est indescriptible. Alors, c'est ça l'amour, faire l'amour ? Cette brûlure brutale. Cette douleur aiguë du corps et de l'âme. Cette sensation de souillure, de moiteur gluante. Est-ce toujours ainsi que cela se passe ? Où est-il ce plaisir décrit en si belles phrases dans les livres à l'index, ce transport tant physique que moral si unique pour lequel tant d'amants se sont damnés ? La jeune femme se sent sale. Elle n'a plus qu'une idée en tête, partir, retourner chez elle et oublier ces quelques moments misérables.

Mais elle est dans les bras de Michel. Son Michel. Et c'est elle qui a voulu en arriver là. Il lui parle avec douceur. Il lui demande pardon de sa hâte. La prochaine fois, ce sera mieux, plus doux, moins douloureux. Il le lui promet. Ils apprendront tous les deux les chemins du plaisir et ce sera bon. Ils ont tout le temps, toute la vie devant eux. Il la caresse du bout des doigts, parsème son corps de petits baisers furtifs. S'il osait, il la reprendrait une fois encore mais il sent qu'il ne faut pas l'affoler davantage.

Lorsqu'il parvient à lui arracher un pauvre sourire, il se sent incroyablement soulagé.

Quatre heures sonnent au clocher de l'église de Ménéac. Michel s'est endormi. Bellotte n'a pas fermé l'œil. Les lueurs grises de l'aube éveillent la chambrette dénudée. Elle regarde le lit tout simple, le petit bureau où sont rangées des liasses de papiers, la chaise ordinaire au siège empaillé, le crucifix d'argent retenant une branche de buis, les quelques vêtements suspendus à un portemanteau contre la porte. Elle n'en revient pas de ce dénuement. Elle n'avait jamais pensé que Michel pouvait vivre aussi simplement. Au fond, elle ne connaît pas grand-chose de sa vie.

Sans le réveiller, elle se lève et s'habille. Elle regarde un instant le visage immobile de son amant, noyé dans le sommeil. Comme le fantôme qu'elle n'est pas encore, elle se glisse jusque chez elle. Tout le village est endormi. Quelque part, un coq se met à chanter. Bellotte pense que personne ne l'a vue à une heure aussi matinale, mais elle se trompe. Dans une des chambres de bonne, sous le toit du manoir, la petite servante aux tresses blondes, postée près de la lucarne, aperçoit sa longue silhouette blanche se découpant sur le vert sombre de la pelouse. Elle ne dit rien, la petite, mais elle se ronge les ongles.

Bellotte retrouve sa chambre avec soulagement. Elle se déshabille, pressée de retirer ses vêtements souillés. Une étoile de sang barbouille ses dessous. Elle se lave longuement à l'eau froide dans l'espoir d'alléger cette brûlure qu'elle sent

*encore en elle. Lorsqu'elle se glisse dans son lit, elle prend
conscience soudain qu'elle est devenue une femme. Loin de
la rendre heureuse, cette idée amène de nouvelles larmes à
ses yeux. Lorsqu'elle finit par s'endormir au grand jour, sa
peau a déjà oublié l'odeur de Michel.*

Les images se sont éteintes tout doucement. Je
suis restée hébétée de surprise devant ma fenêtre
noire. Si je m'attendais à ça! Une première nuit
qui tourne presque au viol! C'était plutôt glauque!
Mais qui étais-je, moi, pour juger? Qu'est-ce que
j'aurais fait à la place de Bellotte ou de Michel?
Au moins maintenant, j'avais une connaissance
partielle de ce qui avait causé la catastrophe. Mais
pourquoi Bellotte avait-elle parlé de trahison?
C'est plutôt lui qui, dans sa hâte, l'avait trahie...

Les réactions de la petite grand-mère du bar-
tabac et du gardien prenaient à présent tout leur
sens. Il y avait une indéniable ressemblance entre
Max et Michel: la haute taille, les épaules carrées,
le regard si attentif, le sourire en coin. Max, c'était
Michel avec dix ou quinze ans de moins que
l'homme que j'avais vu aimer Bellotte. Seules leurs
couleurs et leurs époques étaient différentes.

Dans la petite salle de séjour, mon frère s'était
endormi devant la télé. Moussia était là, installée
sur le dossier du canapé, presque à la hauteur
de son cou, semblable à un insolite foulard de

fourrure blanche. Tout doucement, j'ai saisi la télécommande abandonnée dans la main de Max et je l'ai reposée sur la table. La chatte me suivait du coin de l'œil, immobile, aux aguets. Il faisait très chaud dans la petite pièce et je me sentis soudain oppressée par tous les secrets qui empoisonnaient les lieux. De l'air, il me fallait de l'air tout de suite. Vite !

Sur la grande pelouse, à l'arrière de la maison, l'atmosphère était plus respirable, mais l'angoisse qui m'avait saisie à l'intérieur ne se dissipa pas. Au contraire. Une peur diffuse s'empara de moi lorsque je descendis la pente de la pelouse, dépassant le vieux puits et m'arrêtant sur le bord de l'étang. Tout autour, les grands arbres se balançaient sous la brise et le reflet de la lune se disloquait en milliers de virgules froides à la surface de la mare aux canards. Quelque chose d'horrible s'était produit dans cette maison trompeusement paisible. Je ne savais pas tout.

Une odeur de compost humide agressa mes narines. Un engoulevent zébra de son envol la clarté sombre du ciel et son cri me sembla désespéré. Une onde de violence rampait autour de la maison, noire et invisible. Je la percevais. De minute en minute, l'impression se confirmait même si je ne voyais encore rien distinctement. Ce n'était qu'une question de temps. Je suis restée un bon moment accroupie sur la pelouse, devant l'étang, à regarder les grandes fenêtres éclairées, envahie par un intense sentiment de fatalité et d'impuissance... jusqu'à ce que je n'en puisse plus.

Curieusement, j'ai couru me réfugier dans la maison, tant cette sensation me causait du malaise, espérant me rassurer par la seule présence de mon frère. En ouvrant la porte, Moussia essaya de se faufiler entre mes jambes pour sortir. Je la rattrapai de justesse en la harponnant par son collier, tout en faisant bien attention à ses griffes. La porte close, elle se réfugia dans l'escalier et me crachouilla toute une série d'injures mais je m'en fichais pas mal. Sans faire de jeu de mots, j'avais d'autres chats à fouetter.

Dans le couloir, à l'étage des chambres, toutes les portes étaient fermées. Ce soir, le manoir d'Isabelle de Bellouan affichait complet. Avec la certitude qui accompagnait maintenant mes intuitions, je savais que Bellotte ne se baladerait pas cette nuit-là d'une chambre à l'autre. Trop de monde ! Elle ne hantait pas sa maison lorsque celle-ci résonnait des ronflements et des grincements de dents des dormeurs qui ne ressemblaient pas à celui qu'elle cherchait.

Parlant de dormeur, Big Max avait troqué le canapé de la salle de séjour pour le petit lit de l'alcôve et il dormait comme un bébé, la bouche grande ouverte, les deux bras jetés au-dessus de sa tête. La vision familière de mon frère m'apaisa un peu et je lui en fus reconnaissante.

Du haut de son grand portrait, le regard pétillant de Bellotte me fixait. Je ne pus m'empêcher de la plaindre de tout mon cœur, cette belle fille riche et gâtée par la vie. Sa première et unique nuit d'amour avait été un flop monumental et elle s'était pendue quelques jours plus tard, je ne comprenais toujours pas pourquoi. Une première nuit ratée, ou même catastrophique, ce n'était tout de même pas une raison suffisante pour mourir.

Dans ma tête, son histoire prenait tout doucement forme. Ce n'était pas un hasard si je me retrouvais là, sous ses couvertures, à essayer d'imaginer mon rôle là-dedans. Je sentais que je devais faire quelque chose, que c'était ma mission, le sens profond de ma présence dans cette chambre. Mais je n'avais pas le plus petit commencement du début d'une idée de ce que ça pouvait bien être.

ONZE

Encore une fois, c'est Max qui me réveilla. À huit heures du matin, il était en train de bourrer son sac à dos avec ses vêtements en sifflotant comme à son habitude, faisant le va-et-vient de la salle de bains à la chambre. J'ouvris un œil interrogatif.

— Qu'est-ce que tu fabriques ?

— Tu vois bien... je range mes affaires.

— Pour quoi faire ?

— Ben, on part, non ? Je te rappelle qu'on retourne chez nous demain dans la journée et qu'on a prévu de passer notre dernière soirée à Nantes pour visiter le Château des ducs de Bretagne.

Hé ho ! Une minute, pas de panique ! Cette fois-ci, c'était moi qui ne voulais plus partir. J'étais sur le bord de percer un mystère. J'avais si peu de temps devant moi. Il fallait, d'urgence, que je trouve un prétexte pour ne pas quitter le manoir.

— T'avais pas dit qu'on était bien ici ?

— Oui, mais toi tu m'as soutenu le contraire. Et pas plus tard qu'il y a deux jours, tu m'as fait une crise à tout casser pour qu'on décolle d'ici. Faudrait savoir ce que tu veux !

L'imagination me faisait cruellement défaut car mes neurones n'étaient pas encore bien connectés. Qu'est-ce que j'allais inventer pour le retenir ? Un malaise ? Pas possible, mon frangin me connaissait trop bien. On avait vaguement parlé d'aller jusqu'aux alignements de Carnac. Pas très plausible ni faisable non plus étant donné qu'on ne savait pas trop comment s'y rendre et que c'était tout de même pas la porte à côté. Les photos à faire dans le coin ? Peut-être, mais c'était cousu de fil blanc étant donné que c'était lui le pro du numérique. J'ai préféré jouer franc-jeu.

— Écoute Max, faut qu'on reste ici encore un peu. On partira de bonne heure demain matin. Cette maison, elle cache un mystère. Il y a quelque chose de pas net du tout entre les Longré et madame Brévelet. Et cette Bellotte qui s'est pendue, tu trouves ça logique qu'on dise qu'elle s'est étranglée avec son foulard en embarquant dans une voiture ? Et cette vieille dame, au village, qui se met dans tous ses états dès qu'elle te voit et qui t'appelle Michel ? Tu trouves que c'est normal ? Je veux savoir le fin mot de l'histoire. Je te jure que je vais le trouver. Donc, je reste ici jusqu'à demain. Si t'es pas d'accord, si tu veux repartir vers Nantes, vas-y! T'es libre. Je te rejoindrai à l'aéroport à l'heure d'embarquement.

Là, il a explosé. Il en avait ras-le-bol de moi en particulier et de toutes les filles en général qui sont toujours en train de changer d'idée... j'étais en train de foutre en l'air notre voyage... je ne respectais pas ce qu'on avait prévu... c'était bien la dernière fois qu'il partait avec moi, et blablabla... En temps normal, j'aurais répliqué sur le même ton, mais je laissai passer son coup de gueule. C'était pas le moment d'envenimer les choses. Je pouvais avoir besoin de lui. Rageusement, il jeta son sac à dos dans l'alcôve et sortit de la chambre en claquant la porte. Le petit déjeuner l'attendait et allait sans doute lui remettre les idées à la bonne place. Moi, j'étais sûre qu'il allait rester car j'avais suffisamment piqué sa curiosité.

Après avoir picoré un croissant à la cuisine, je partis à la recherche de monsieur Longré. Je voulais le remercier pour la promenade de la veille à Brocéliande et surtout savoir pourquoi il m'avait faussé compagnie sur le sentier qui menait à la fontaine et à l'étang de Viviane. Cette partie secrète de la forêt lui était-elle interdite? Avait-il rebroussé chemin par discrétion? C'était pas clair du tout. Et puis, il pouvait m'aider à mettre en place certaines pièces du puzzle de l'histoire de Bellotte.

Le vieil homme était à l'ouvrage dans un potager situé derrière la grange ronde, le long de la route. Quelques arbres fruitiers ombrageaient les planches de légumes. Des rosiers grimpants poussaient le long du mur d'enceinte de la propriété et, dans un coin, une vieille baignoire était pleine à ras bords d'eau de pluie. Le jardin était impeccable. Il y régnait une tranquillité, une sorte de sagesse ancienne qui m'apaisa. Le vieux monsieur binait la terre entre les rangées et traquait la moindre mauvaise herbe. Cet endroit était son refuge, son domaine, il y travaillait avec amour et respect pour tout ce qui l'entourait.

Lorsqu'il me vit, il releva sa haute silhouette et appuya son outil contre le mur. Il me sourit, sortit de sa poche une blague à tabac et entreprit de se rouler une cigarette, attendant que j'entame la conversation. Mais c'est lui qui posa la première question.

— Vous avez bien dormi, mademoiselle?

À mon tour de sourire! Comme on n'avait pas de temps à perdre, j'entrai tout de suite dans le vif du sujet.

— Dans la chambre de Bellotte? Vous pensez vraiment qu'on peut s'y reposer? En tout cas, moi j'y ai vu et entendu bien des choses.

— Pourtant, la plupart des gens y dorment bien, d'après ce qu'on dit. Mais, vous, ce n'est pas pareil, je suppose. J'imagine que vous l'avez vue?

— Vous parlez de Bellote? Du joli fantôme qui hante les chambres du haut?

— Bien sûr! De qui voulez-vous que je parle?

— Est-ce que beaucoup de personnes l'ont vue... comme moi?

— C'est plutôt rare et ça fait un bout de temps qu'elle se tenait tranquille. Mais votre frère a dû la perturber beaucoup... vous savez bien pourquoi. Il y a eu certains incidents par le passé, impliquant presque toujours des jeunes hommes...

Il savait donc que Bellotte hantait les vieux murs du manoir. Ce vieux jardinier me faisait de plus en plus l'effet d'être une sentinelle. Il attendait quelque chose. Son temps était suspendu à ce qu'il allait trouver. Une véritable complicité s'était tout de suite établie entre nous. Je changeai de sujet de conversation.

— Vous travaillez au manoir depuis longtemps?

— Depuis toujours. Je suis entré en apprentissage ici à quatorze ans. J'ai quitté mon travail pour partir à la guerre en 39 et je l'ai repris en revenant.

— C'est là que votre jambe a été blessée?

— On ne peut rien vous cacher, jeune dame!

— Alors, vous avez dû connaître le père de madame Brévelet?

— Monsieur Jean? Bien sûr. C'était mon patron. Tout le monde l'appelait ainsi.

— Et vous avez rencontré mademoiselle de Bellouan? Bellotte?

— Je l'ai vue, oui, lorsqu'elle passait au village, mais je ne lui ai jamais parlé. J'étais tout jeunot à l'époque, cinq ou six ans, pas plus, et je ne me souviens pas vraiment de son visage. Pour nous, les gamins de l'orphelinat, c'était un personnage inaccessible, tellement lointain. Mais ma sœur l'a bien connue. Elle était servante au manoir lorsque la tragédie est survenue.

— Votre sœur?

— Oui, la vieille dame que vous avez dû rencontrer au bar-tabac d'Aliette.

— Votre sœur? Au bar-tabac d'Aliette? Celle qu'on appelle mémère Jeanne?

Ma bouche s'était ouverte sur une expression d'étonnement un peu stupide. Avec patience, il me donna tous les renseignements qui me manquaient et qui étaient pourtant si évidents.

— Aliette Longré est ma petite-fille. C'est elle la propriétaire du bar-tabac. Elle l'a acheté il y a quelques années lorsqu'elle est revenue vivre dans notre coin de Bretagne après avoir trimé dans la capitale. La vieille dame, c'est ma sœur Jeanne, la grand-tante d'Aliette, mais elle est maintenant tellement âgée que tout le monde au village l'appelle mémère Jeanne. Vous l'avez vue, je crois. Elle a eu quatre-vingt-quatorze ans l'automne dernier.

— Ah! Et le docteur Michel Longré, il faisait partie de votre famille lui aussi? J'ai lu un truc à son sujet dans la bibliothèque...

Je n'osai pas en dire plus. Je n'allais tout de même pas m'enfoncer dans des mensonges impossibles. Le vieil homme vrilla ses yeux lucides dans les miens.

— Michel Longré, c'était mon oncle, le plus jeune frère de mon père. Il nous a recueillis, Jeanne et moi, lorsque nos parents sont morts de la grippe espagnole, juste après la guerre de 14-18, cette grippe meurtrière qui a tué plus de gens que les tranchées. À Ménéac, tout le monde savait qu'il aimait mademoiselle de Bellouan. Il est devenu comme fou lorsqu'il a appris ses fiançailles. Pas longtemps après, il a disparu. Rayé de la carte. Et la jeune fille est morte presque en même temps. Personne n'a jamais su ce qui s'était vraiment passé. On n'a jamais eu de nouvelles de lui. On n'a jamais compris !

— Qu'est-ce que vous avez fait ?

— Pour nous, sa disparition, c'était une tragédie. Il était notre soutien de famille puisque nos parents étaient morts. En tant que médecin, il dirigeait le vieil orphelinat de Ménéac, le grand bâtiment où se trouvent actuellement la mairie et la salle paroissiale. C'était le seul de la famille qui était instruit. Je vivais avec lui, dans les murs de l'orphelinat. Jeanne n'avait que quatorze ans à l'époque, mais elle était déjà placée comme aide-cuisinière au manoir. Lorsque madame de Bellouan est partie vivre à Rennes, après la mort de sa fille, elle l'a suivie. En ville, les gages des domestiques étaient plus élevés. Je suis resté à l'orphelinat, comme véritable orphelin cette fois, jusqu'à ce que j'entre en apprentissage ici, avec le jardinier. Notre vie a été bien rude. Dans notre jeunesse, on ne se voyait pas souvent, Jeanne et moi. Une ou deux fois par année, pas plus. Mais elle s'est toujours arrangée pour que je ne manque de rien. Je l'aime bien. C'est pourquoi je souhaite qu'elle trouve enfin la paix et un peu de douceur dans ses derniers jours...

Un plus un font deux. Pas difficile! La petite servante blonde qui se rongeait les ongles en guettant Bellotte depuis sa chambre sous le toit et celle qui plaçait le dernier billet de Michel dans la poche de Jean Brévelet d'Auray, c'était une seule et même personne: Jeanne Longré. Et il ne fallait pas être ultra-futé pour comprendre ses raisons. Elle savait où Michel déposait ses lettres pour Bellotte. Peut-être même que c'était elle qui faisait les commissions entre les deux amoureux puisqu'elle avait accès à la fois au manoir et à l'orphelinat. Le docteur Longré n'avait aucune raison de se méfier de cette nièce puisqu'il la considérait un peu comme sa fille et qu'elle lui devait beaucoup. En supposant qu'elle ait lu le dernier message de son oncle, elle avait dû être affolée du projet de fuite des tourtereaux. Qu'est-ce qu'ils allaient devenir, son petit frère et elle, si Michel les abandonnait? Que pouvait-elle faire pour le retenir? Mettre un grain de sable dans ce bel engrenage, voilà tout!

J'imaginai très bien la détresse de cette petite blonde, ni belle ni laide, qui passait toujours inaperçue comme si elle se fondait dans le décor. Pas bête, un brin sournoise et opportuniste. Tous les jours, elle côtoyait la beauté précieuse de Bellotte, cette fille de son âge, ou à peu près, qui vivait sur autre planète et qui avait tout ce qu'on peut désirer, avec la séduction et l'éducation en prime. Cette perle rare que tout le monde adulait et qui allait se marier avec l'homme le plus riche de la province. Cette fausse ingénue qui voulait, en plus, lui voler son oncle, le pilier stable de sa petite vie... comme si tout le reste ne lui suffisait pas! Que pouvait-elle bien en faire de ce billet qui lui brûlait les doigts? De ce message enflammé qu'elle avait lu laborieusement et qui réduisait à néant ses espoirs et son avenir? Une seule personne pouvait arrêter le désastre qui allait survenir si elle ne faisait rien: le fiancé de Bellotte. Cet homme hautain qui l'ignorait comme tous les autres, mais qui serait bien obligé de la remercier en devenant son débiteur. Ce n'était pas envers lui qu'elle se sentait loyale, mais envers Michel qui ne pourrait que se féliciter d'avoir évité la plus grosse bêtise de sa vie... un peu plus tard, lorsqu'il aurait repris ses esprits. Enfin, c'est ce qu'elle se faisait accroire.

Ainsi va le monde! Elle avait glissé le papier dans la poche du pardessus. Jean Brévelet d'Auray l'avait lu. Et la suite? Ce qu'elle n'aurait jamais pu prévoir, la petite Jeanne, c'était que Michel allait inexplicablement disparaître quelques jours plus tard, sans laisser la moindre trace. Dans sa chambre, on avait dû retrouver une valise contenant vêtements, argent et papiers. Et l'automobile dont il parlait dans son dernier billet, qu'était-elle devenue ? Quelqu'un avait-il demandé des comptes ou récupéré la voiture plus tard ? La catastrophe avait bel et bien eu lieu. Encore plus tragique que prévu, puisque Bellotte était morte quelques heures après ce dernier rendez-vous et que Michel n'avait plus jamais donné signe de vie ensuite. Il y avait de quoi se ronger les ongles pour le reste de son existence !

Je restai silencieuse plusieurs minutes. Monsieur Longré n'avait pas interrompu ma réflexion. Il me regardait sans rien dire, en tétant son mégot éteint. Bien conscient de toutes les déductions que je pouvais faire, les unes après les autres. Je sortis de mon mutisme pour lui poser une ultime question.

— Monsieur Longré, hier, sur le chemin de la fontaine...

Le vieil homme m'interrompit tout de suite.

— Il y a des questions qu'il vaut mieux ne pas poser, mademoiselle, surtout si vous êtes capable de trouver les réponses toute seule.

Je lui souris encore une fois. Il avait bien raison. Il m'avait servi de guide et conduit jusqu'où il le pouvait. Le reste n'appartenait qu'à moi. Je posai la main sur son bras, consciente qu'il en savait bien plus qu'il ne voulait m'en dire et qu'il connaissait déjà certains des sentiers étranges où je venais de m'aventurer. Mais pourquoi était-ce à moi de dénouer cette histoire ? Moi, une parfaite inconnue, débarquée d'un autre siècle et d'un autre continent ?

Des pas se firent entendre soudain sur le gravier de l'allée et une main poussa la porte grillagée du potager. Madame Brévelet, un grand panier d'osier au bras, venait faire provision de légumes pour la soupe du jour. Le jardinier saisit prestement sa binette et se remit à sarcler la terre. Il eut le temps de me murmurer très vite :

— Il y a quelque chose dans la maison qui LA retient. Je ne sais pas quoi. Essayez de LA faire sortir. Moi, je ne peux pas entrer dans ce lieu maudit. Mais vous, vous pouvez le faire !

Madame Brévelet m'adressa un petit salut de circonstance, assez sec. Elle toisa son employé. Toute son attitude contribuait à lui faire comprendre qu'il ne devait pas placoter avec des intrus et perdre son précieux temps. Hôtes du manoir ou pas. Je compris le message et m'esquivai promptement en saluant le vieil homme de la main. Pas très commode, la patronne !

Sur la route du village, une grosse question m'obsédait l'esprit. Qu'est-ce qui pouvait bien retenir Bellotte dans les murs de son manoir et l'empêchait de trouver la paix ? J'étais à un cheveu de le savoir. Il ne me restait que quelques heures pour dénouer le mystère, et tout le monde semblait l'espérer autour de moi.

DOUZE

Je ne fus pas surprise du tout de retrouver mon frère à Ménéac. Il venait de sortir du bureau de poste et il avait l'air encore plus bougon que lorsque je l'avais quitté. Je m'immobilisai sur le trottoir. Tout à ses pensées, il faillit me heurter. Je l'arrêtai en ouvrant grand mes bras comme une barrière.

— Qu'est-ce que tu fais là?

— Ah! C'est toi. Figure-toi que ce serait tout de même assez intelligent de se faire confirmer les horaires d'autocar et d'acheter à l'avance nos billets pour retourner demain matin à Nantes puisque Mâdâââme a décidé de partir d'ici à la dernière minute.

— Et alors? Tu les as achetés?

— Ben non! Pas encore! Ce type à la poste, c'est un abruti fini. Il sait rien, il a rien entendu et rien vu. Pas moyen de lui tirer une information.

— Je sais. J'ai déjà eu affaire à lui. Il doit être en chicane avec le monde entier et avec Ménéac en particulier pour être aussi serviable. C'est chez Aliette, au bar-tabac, qu'il faut aller. Elle nous donnera tous les renseignements qu'on voudra.

— Tu crois? Tu penses que la vieille dame sera là?

— Ici, tout le monde l'appelle mémère Jeanne.

— Comment tu sais ça?

— J'ai parlé tout à l'heure avec le jardinier du manoir, monsieur Longré. Il m'a appris pas mal de choses. Entre autres que cette vieille, c'est sa grande sœur.

Autant le mettre au courant de ce que je venais d'apprendre grâce au jardinier. Il finirait tôt ou tard par le savoir. Je lui brossai les grandes lignes de l'histoire en quelques phrases, en omettant tout de même certains détails qui ne concernaient que moi. Complètement soufflé, le frangin! Lui qui aimait les mystères glauques, il était servi.

— Wow! Mais on nage en pleine tragédie grecque!

C'était bien la première fois que Max se lançait dans une comparaison semblable. Preuve qu'il était drôlement secoué. Je sentais qu'il n'avait pas vraiment envie d'aller au bar-tabac. Se taper une autre crise de larmes de mémère Jeanne, très peu pour lui. Il se résigna. On avait besoin des billets et des horaires d'autocar. Pour ma part, je n'éprouvai aucune crainte à l'idée de revoir la vieille dame. Je l'espérais. Avant d'entrer dans le troquet, Max me retint par la manche.

— Tu lui as pas demandé, au jardinier, pourquoi sa sœur a perdu les pédales lorsqu'elle m'a vu ?

— Heu, non ! Pas eu le temps. Madame Brévelet s'est pointée avec son panier et j'ai sacré mon camp vite fait.

Pour dire vrai, je n'y avais pas pensé une seconde. Probablement parce que la vérité était pour moi si évidente maintenant.

Aliette nous salua de son franc sourire lorsqu'elle nous vit entrer. Le bar-tabac était vide, les chaises retournées à l'envers sur les tables. Elle en profitait pour passer la serpillière sur le carrelage. Max et moi, on a regardé en chœur du côté de la fenêtre, là où la vieille femme passait le plus clair de son temps, mais elle n'était pas là. Je sentis presque physiquement le soulagement de mon frère. Aliette avait suivi notre regard et elle devança notre question.

— Mais non, elle est pas là, vous voyez bien. Elle a eu un choc lorsqu'elle vous a vu, jeune homme.

Depuis, elle s'est cloîtrée dans sa chambre et n'arrête pas de pleurer.

— Mais pourquoi? interrogea Max avec un air catastrophé.

— On vous a sûrement raconté l'histoire de mon grand-oncle Michel et vous avez un peu deviné le reste, non? En tout cas, votre sœur le sait, elle. Vous ressemblez tellement à l'oncle de mémère Jeanne... enfin, selon elle, bien sûr. Mais, à son âge, sa mémoire peut lui jouer des tours, vous savez!

— Je lui ressemble tant que ça?

— Moi, bien sûr, je peux pas vous dire. Je l'ai jamais connu puisqu'il a disparu bien avant ma naissance. Mais il y a de vieilles photos. Attendez une minute, je vais aller vous les chercher. Vous pourrez vous rendre compte par vous-même.

Elle avait raison. Je pouvais témoigner que la ressemblance était indéniable. Aliette disparut dans l'arrière-boutique qui communiquait avec son logement. Big Max baissait la tête avec un air de chien battu, comme si tout ce qui arrivait était sa faute. Il était en pleine confusion. Je lui pris le bras pour le réconforter. Aliette revint quelques minutes plus tard avec une grosse boîte métallique de petits beurres LU. Elle descendit les chaises d'une des tables et s'y s'installa, nous faisant signe de la rejoindre. Elle farfouilla un peu dans les paperasses qu'elle contenait avant de nous sortir quelques clichés jaunis. Sur l'un d'eux, on voyait un homme de haute taille, en uniforme de soldat, plutôt beau mec. Sur un autre, on apercevait sa silhouette sur une photo regroupant les enfants de l'orphelinat alignés en rangées comme des oignons, les grands derrière, les petits devant. Pas très clair pour se faire une idée. Sur une troisième image, il était de trois quarts, une main sur la hanche dans une pose figée, l'autre bras appuyé sur une colonne où étaient entassés plusieurs gros bouquins. L'équivalent d'une photo de finissant, sans doute. Sur la dernière, on le voyait avec la petite Jeanne, engoncés tous les deux dans leurs vêtements du dimanche, au garde-à-vous devant l'objectif, sérieux comme des papes. En ce temps-là, ce n'était pas de la rigolade quand on se faisait photographier pour la postérité.

Ressemblance, ressemblance! Fallait le dire vite si on se fiait uniquement à ces vieux clichés. Il y avait, certes, la haute taille, le port de tête, la carrure, un certain sourire. Mais pour le reste, comme les photos étaient un peu brouillées et couleur sépia, on ne pouvait pas vraiment se faire une idée exacte. Max me regarda d'un air perplexe, assez soulagé de ne pas reconnaître son sosie sur les vieilles images. Son regard était plein de questions : pouvait-on se fier aux souvenirs d'une vieille dame solitaire qui avait fait de cette tragédie le centre de son existence ? Sûrement pas, de son point de vue à lui. Mais moi, je savais à quoi m'en tenir puisque j'avais « vu » le Michel en question.

Il y avait encore une foule d'inconnues dans cette histoire. Le billet, par exemple. Après l'avoir glissé dans la poche du pardessus, on imagine assez bien que Jean Brévelet l'avait lu. Mais ensuite ? Est-ce que Bellotte l'avait eu en sa possession, finalement, ce billet ? Est-ce qu'elle savait que Michel avait organisé leur fuite ? Qu'il l'attendait près de la brèche du mur ?

— Madame Aliette, est-ce que vous savez ce qui s'est passé ? Pourquoi votre grand-oncle a disparu... ou au moins ce qui a provoqué sa disparition ?

— Je sais uniquement ce que mémère Jeanne nous a raconté. Mademoiselle de Bellouan et Michel s'aimaient. Ma tante Jeanne était au courant de leur idylle. La veille de la mort d'Isabelle, elle avait accepté de lui porter un billet de son amoureux. Elle s'en est voulu toute sa vie. Elle avait pas de mauvaises intentions. Pour la suite, j'en sais pas plus que vous. Comme c'est un sujet doulou-reux, on évite d'en parler.

Juste à ce moment, une main poussa la porte de communication entre le bar-tabac et l'arrière-boutique qui était restée entrouverte et la vieillarde apparut. Elle avait entendu notre conversation. Maigre, voûtée, tout de noir vêtue, le chignon blanc un peu de travers, plus fantôme que Bellotte, mais le regard acéré comme une lame. Max se leva brusquement de sa chaise. Je retins mon souffle. Bien entendu, elle dévisagea longuement mon frangin mais, cette fois-ci, cette vision ne déclencha pas un déluge de larmes, à notre grand soulagement à tous.

La vieille dame me regarda et je vissai mes yeux dans les siens. Je voulais qu'elle réponde à mes questions et, silencieusement, je lui en donnai l'ordre. D'une petite voix chevrotante, elle s'adressa à moi.

— Vous voulez savoir pour le billet ? ELLE l'a bien lu.

— Ah oui ?

— C'était moi la messagère entre Michel Longré et Isabelle de Bellouan. C'était convenu. À l'époque, je ne comprenais pas très bien tout ce que cela impliquait. J'étais très jeune et un peu sotte. Je portais les lettres de Michel au manoir et je les plaçais sur la table de nuit de mademoiselle.

— Vous saviez ce qu'il contenait, ce message, vous l'aviez lu?

— Bien sûr que je l'ai lu. Comme tous les autres d'ailleurs. Leur histoire d'amour m'émoustillait. Je la vivais un peu par procuration. Mais là, lorsque j'ai compris ce qui allait se passer et tout ce que ça impliquait pour mon petit frère et moi, j'ai pris peur.

— Et vous avez fait en sorte que Jean Brévelet le trouve et le lise...

— Bien oui! Qu'est-ce que je pouvais faire d'autre?

— Il savait que c'était vous qui aviez glissé le billet dans sa poche?

— Il a tout de suite compris, vous pensez! Y avait pas trente-six personnes qui pouvaient le faire.

— Et comment il a réagi?

— Je pense qu'il a dû se mettre dans une colère noire. C'était un homme puissant et dangereux. Il ne fallait pas l'humilier. Je me doutais bien que mon geste allait avoir des conséquences. Le lendemain, lorsqu'il m'a demandé de poser le billet chez mademoiselle comme si de rien n'était, je n'ai pas osé lui désobéir. J'en avais trop fait pour rebrousser chemin. De toute façon, pour moi, il était hors de question que mon oncle parte avec cette fille. J'étais prête à tout. Et j'étais soulagée que quelqu'un de plus intelligent que moi prenne les choses en main.

— Et vous savez si Bellotte a lu le message ?

— Oh, c'est sûr ! Elle a dû le voir et le lire tout de suite en entrant dans sa chambre. Je l'avais posé bien en évidence sur sa coiffeuse.

Max, qui était resté silencieux pendant cet échange, intervint brusquement dans la conversation.

— Mais alors, s'il vous a demandé ça, c'était parce qu'il avait une idée derrière la tête. Il voulait se venger, non ?

— Parfaitement ! Mais je l'ai pas saisi tout de suite. J'ai compris lorsqu'il était trop tard.

— Et vous n'avez rien dit, rien fait ? Il a sûrement dû y avoir une enquête. Bellotte est morte et votre oncle a disparu...

La vieille dame ricana et haussa les épaules, avec un certain dédain. Qui l'aurait crue, elle, la petite servante, jalouse de la beauté et de la situation de mademoiselle de Bellouan, qui plus est, coupable d'une indiscrétion, pire, d'une trahison ? Et puis, à l'époque, elle espérait sans doute que son oncle réapparaîtrait pour faire toute la lumière sur cette histoire. Lui, il avait plus de poids qu'elle. Les jours et les nuits de silence et d'attente avaient par la suite empoisonné sa vie.

— Et vous ne savez pas ce qui s'est passé ensuite? Ce que Jean Brévelet a fait?

— Michel a disparu et mademoiselle s'est pendue au lustre de sa chambre. Et c'est moi qui l'ai trouvée. Depuis, j'en ai perdu le sommeil. Voilà! C'est pas suffisant pour vous? Qu'est-ce qu'il vous faut de plus?

— Et... c'est tout?

Jeanne Longré ne répondit pas. À l'évocation de tous ces souvenirs, son visage s'était décomposé, même si cela ne semblait pas possible qu'elle ait l'air encore plus défaite. Elle semblait épuisée par l'échange qu'on venait d'avoir. Tout d'un coup, elle chancela. Aliette se précipita pour la soutenir et disparut avec elle dans l'arrière-boutique. Elle revint quelques instants plus tard, les joues rouges d'énervement.

— Elle se sent pas bien du tout! Je vais appeler le médecin. Est-ce que je peux faire quelque chose d'autre pour vous? nous demanda-t-elle d'une voix pressante.

Malgré sa gentillesse, elle commençait à avoir envie qu'on dégage au plus vite.

— Ben, vous pouvez nous confirmer l'horaire de l'autocar de Nantes, s'il vous plaît! On voudrait réserver deux places pour demain matin.

Max n'avait pas perdu le nord. Une chance ! Moi, j'étais ailleurs. Quelque chose me disait que Jeanne Longré n'avait pas tout révélé. Qu'elle en savait plus, qu'elle cachait un secret malsain. Je l'avais lu dans ses yeux bleu délavé.

Sur le trottoir, Max rangea les deux billets dans son portefeuille, un gros pli soucieux barrant son front.

— Tu veux que je te dise, Isa, ce Jean Brévelet, c'était un vrai salaud. D'après moi, il a magouillé un truc pour les empêcher de se rejoindre. T'imagines un peu ! Il a pas dû se gêner pour leur mettre des bâtons dans les roues avec tout ce qu'il venait d'apprendre.

Parfois, ça lui arrive d'avoir des intuitions, mon frère ! Il avait parfaitement raison, j'en étais arrivée à la même conclusion que lui. Il avait dû y avoir une scène entre Bellotte et son fiancé officiel et ça n'avait pas dû être joli joli. Et dire qu'il me restait à peine une dizaine d'heures pour résoudre cette énigme !

Après un détour par la boulangerie pour acheter deux sandwiches, des galettes bretonnes au beurre et les caramels au sel marin dont notre mère raffolait, on décida d'aller déguster notre pique-nique au bord du lavoir municipal, un bassin de pierres recouvert d'un toit d'ardoises où les lavandières de jadis venaient laver leur linge à grande eau. Pas un chat, c'était tranquille. Des nuages effilochés tapissaient le ciel. Toute une escadrille d'abeilles et de guêpes s'activait dans les jardinières et les parterres de fleurs qui décoraient l'endroit.

Big Max et moi, on avait retrouvé notre complicité de toujours. Notre chicane du matin s'était évaporée au soleil. L'histoire de Bellotte le captivait maintenant autant que moi, surtout qu'il y jouait un premier rôle. Bien installés sur la pelouse qui descendait en pente douce vers le bassin, on a décidé de se reposer un peu de toutes les émotions négatives qui nous tombaient dessus. J'étais tellement bien que je me suis allongée dans l'herbe tiédie par le soleil après avoir englouti mon sandwich.

TREIZE

Finalement, on n'a pas fait grand-chose de notre dernière journée. Je crois qu'on était fatigués, Max tout autant que moi. Je me suis réveillée au milieu de l'après-midi, le visage cuit à point par un coup de soleil, rouge comme les coquelicots qui émaillaient les champs de céréales. Max était assis sur le bord du lavoir, les deux pieds barbotant dans l'eau. On est rentrés tout tranquillement au manoir. L'air avait une douceur de miel. Les haies de chèvrefeuille qui bordaient la route bruissaient du gazouillis de milliers d'oiseaux laborieux. Des vaches ruminaient, couchées sous les noyers qui parsemaient les prairies. Les grands champs de colza jaune multipliaient la lumière jusqu'à la phosphorescence. On était loin de la folie furieuse du premier soir. La campagne entière semblait assoupie et bienheureuse sous le soleil d'été. Tout avait l'air si normal dans ce grand jour que c'était un peu insolite après tout ce qu'on venait d'entendre. La vengeance, la haine avaient-elles leur place dans un environnement aussi paisible?

Bien contente qu'il se charge de cette corvée, j'ai laissé Max régler nos comptes avec madame Brévelet. Elle a été plus que correcte avec nous, s'en tenant au tarif du premier jour pour la plus belle chambre de son manoir, petits déjeuners et repas du soir inclus, à trente euros la nuit. L'aubaine du siècle, on ne pouvait pas se plaindre. Que savait-elle, notre hôtesse, de l'histoire tragique de Bellotte? Quel était son rôle précis à elle, la gardienne des âmes en peine de sa maison? J'avais plus que jamais envie de le savoir. Ce soir encore, un plateau-repas nous attendrait à la cuisine. Le chic *bed and breakfast* affichait complet et madame Roxane recevait, en plus des hôtes du manoir, trois couples de la région qui venaient retrouver leurs amis y séjournant. Pas de problème pour moi! J'aimais autant cette solution, surtout que la nuit qui m'attendait allait être plutôt rude.

Sans se presser, on a paqueté nos affaires. D'un commun accord, Max et moi, on a pris notre douche et on a décidé de rester habillés pour cette dernière nuit. On serait ainsi fins prêts pour notre autobus qui décollait de Ménéac à 6 h 45. Et on ne dérangerait personne avec des bruits de cataractes dès l'aurore dans la salle de bains.

Max est allé chercher notre plateau à la cuisine vers dix-neuf heures. On s'est installés dans les confortables fauteuils de la chambre, devant le guéridon de Bellotte qu'on a poussé devant la fenêtre grande ouverte qui donnait sur la pelouse. J'avais la gorge serrée en avalant mes œufs mimosa, ma tranche de jambon de pays, ma salade du jardin et mon pot de crème caramel. On ne pouvait rêver plus bel endroit, plus chaleureux, plus confortable, plus raffiné. Jamais je ne m'étais sentie aussi privilégiée d'être quelque part et en même temps aussi triste. J'étais en pleine confusion, en plein chagrin. Un affreux drame avait empoisonné l'air que je respirais et c'était insupportable. Il fallait que je sache. Je devais en dénouer les fils. D'une certaine façon, j'avais atterri dans cet endroit pour ça. L'enjeu personnel était énorme pour moi car j'avais autant de choses à découvrir sur le drame que sur moi-même. Et il me restait si peu de temps !

Max et moi, on n'a presque pas parlé en cette dernière soirée. De temps en temps, mon frère me regardait d'un air perplexe. Il se rendait bien compte que j'attendais, que j'étais à l'affût de quelque chose, mais il ne savait pas mettre les mots sur son intuition.

Le coucher du soleil nous gratifia d'une symphonie de couleurs somptueuses. Devant nous, l'étang à canards devint un lac d'ambre, puis un miroir d'argent lorsqu'il reçut les premiers éclats de lune. Les silhouettes immobiles des arbres s'estompèrent peu à peu dans l'ébène de la nuit.

Pendant ce qui m'a semblé une petite éternité, j'ai entendu des voix et de la musique qui provenaient du rez-de-chaussée. À un moment donné, Max est descendu reporter notre plateau à la cuisine. Je n'ai pas levé le petit doigt pour l'aider. J'ai également entendu des portières claquer et une ou deux autos s'éloigner sur le gravier de l'allée. Des pas hésitants se sont fait entendre dans l'escalier. Des rires aussi. La soirée avait été bien arrosée. Max est allé s'étendre sur le lit de l'alcôve, plus silencieux que je ne l'avais jamais vu. Quelques instants plus tard, j'ai entendu sa respiration régulière lorsqu'il s'est endormi. Les petits bruits de la nuit envahissaient le manoir qui retrouvait sa quiétude. Moi, j'étais toujours assise devant la fenêtre. L'immobilité m'avait prise en tenailles. J'attendais!

J'ai bien cru qu'ELLE ne viendrait jamais. Au début, je n'ai fait que l'attendre. Ensuite, je l'ai appelée. Doucement d'abord et ensuite impérativement. Le temps pressait, mais elle était capricieuse. Elle n'aimait pas la foule des dormeurs qui peuplait sa maison. Elle a résisté autant qu'elle a pu, mais elle a fini par se soumettre. C'était moi la plus forte. Si elle voulait que j'aille jusqu'au bout et que je la délivre, ELLE DEVAIT M'OBÉIR! Attachée à une réalité qui me retenait au présent, je pouvais sans trop de crainte m'aventurer au pays des ombres, là où elle se terrait. Devant mes yeux, les images ont commencé à se former comme un grand cinéma tragique.

Bellotte tourne comme une lionne en cage dans sa chambre. Le billet de Michel est dans sa main. Voilà trois jours qu'elle l'a reçu. Elle l'a lu dix mille fois. Sur son lit, elle a entassé quelques robes, une étole de fourrure, un manteau, un petit chapeau cloche, son nécessaire de toilette, quelques livres qu'elle aime, un album de photos. Elle a glissé tous ses bijoux dans une pochette de velours. Elle ne sait pas au juste ce qu'elle doit emporter. C'est la première fois qu'elle fait elle-même ses bagages. Michel l'attend dans moins d'une heure près de la brèche du mur.

Elle ne sait plus quoi faire, Bellotte! Elle hésite. Une part d'elle a follement envie de cette aventure qui peut la délivrer de son avenir tout tracé de beauté de province, exilée dans l'ennui d'un mariage avec un homme qu'elle n'aime pas et que tout le monde craint. Une autre part d'elle redoute cette folle fuite et le scandale qui va s'ensuivre. Comment ses proches vont-ils vivre cet affront à leur rang ? Et sa mère ? A-t-elle le droit de lui infliger pareil chagrin ? Ne va-t-elle pas mourir de honte, elle qui a déjà été si marquée par la disparition de son époux ?

Et puis, une pensée insidieuse et pas très glorieuse chemine dans l'esprit de Bellotte, depuis quelques jours. Cette fuite avec Michel Longré, c'est l'inconnu total. Comment vont-ils vivre ? Où ? Avec quel argent ? Bellotte a bien une fortune personnelle, mais elle doute de pouvoir entrer facilement en possession de cette somme puisqu'elle n'est pas encore majeure. Bien sûr, Michel est médecin et peut trouver du travail n'importe où afin de lui assurer une vie « honorable ». Mais elle, a-t-elle envie d'une vie toute simple et « honorable » ? Elle ne sait pratiquement rien faire de ses dix doigts et elle ne se voit pas dans un petit logement, faisant elle-même les repas, les courses, le ménage, la couture. Comment passera-t-elle ses longues journées lorsque son amoureux sera parti gagner leur vie « honorable » ? Elle ne connaît que les fêtes, les pique-niques, les bals, les soirées musicales, les voyages d'agrément, les belles toilettes, les mets raffinés et le quotidien ouaté d'une grande bourgeoise bien entourée. Elle réalise tout d'un coup que sa vie est une suite de plaisirs auxquels elle devra renoncer.

Découragée, Bellotte s'assoit sur son lit au milieu de ses robes de soie qui ne lui serviront plus à rien. Elle repense à cette première nuit avec Michel, à cette intimité brutale, à cette déchirure douloureuse qu'elle a ressentie. Elle tressaille. Et si ces quelques moments d'égarement avaient des suites? Un enfant! Élever un enfant, seule, dans une autre ville, sans le secours de toute sa maisonnée, de ses domestiques? La tâche lui semble soudain insurmontable. Oui, il est encore possible de faire marche arrière. C'est décidé, elle va écrire à Michel et confier sa lettre à la petite Jeanne. Elle ne partira pas avec lui. Cette décision lui déchire le cœur et elle se sent horriblement coupable, car c'est elle qui a voulu et provoqué tout ce qui est arrivé. Le docteur Longré ne lui pardonnera jamais ce jeu cruel. Elle redoute vaguement ce qu'il pourra faire... mais elle a les moyens, avec Jean Brévelet d'Auray pour compagnon, d'éloigner tout esclandre, toute catastrophe. D'ailleurs, ne doit-elle pas se marier dans quelques semaines et partir avec lui en voyage de noces dans la lointaine Amérique?

Soudain, son imagination s'emballe. Elle se voit dans la cabine du luxueux transatlantique qui les emporte vers New York. Elle a mis sa chemise de nuit en soie brodée. Jean Brévelet est collé contre elle, dans le lit. Il la dépouille de ses dentelles et abuse de son corps sans qu'elle fasse un geste. Elle a horreur du contact physique avec cet homme qu'elle n'aime pas. Elle le trouve laid, grossier, brutal. Elle déteste son haleine, l'odeur de sueur suffocante qu'il dégage, cette brusquerie blessante dans chacun de ses gestes. Elle est son épouse, sa captive, sa femme, autant dire sa chose... elle doit se soumettre à son désir ou en payer le prix.

Rien ne lui résiste! Il s'endort comme une masse à son côté, sans lui dire un seul mot d'affection ou d'amour, frustré de sa froideur. Et elle comprend soudain que ce sera ainsi toutes les nuits et que sa vie facile de jeune femme gâtée ne sera qu'un vernis de façade. L'horreur!

Tout mais pas ça! Avec Michel, les choses pourront évoluer. Elle a tellement d'emprise sur lui qu'elle peut obtenir n'importe quoi. L'émoi amoureux, ils l'apprivoiseront ensemble. Pour le reste, ce sera dur, au début, mais sa mère finira par lui pardonner et par accepter l'évidence. Après quelques semaines ou quelques mois de fâcherie, elles se reverront et les choses rentreront dans l'ordre. Elle s'imagine assez bien revenir vivre au manoir avec Michel. Pourquoi pas? Tout ce qu'elle a désiré, elle a fini par l'avoir. Elle rêve encore, Bellotte, comme une petite fille, en couleur et en cinémascope. Mais elle est tout autant calculatrice, comme une femme retorse. Elle ne choisit pas seulement Michel par amour véritable mais parce que, entre ses deux avenirs, c'est celui qui lui fait le moins peur et celui sur lequel elle imagine qu'elle a le plus de pouvoir.

À grands gestes décidés, elle plie sommairement ses robes et les entasse dans un sac en tapisserie. Elle pense avoir pris la décision la plus sage, même si tout le monde parlera de folie. Elle regarde l'heure: une heure du matin. Elle est en retard, voilà longtemps qu'elle tergiverse. Michel l'attend depuis minuit près de la brèche du mur. Il faut qu'elle se dépêche. Il doit se demander ce qu'elle fabrique.

Le bruit d'un caillou heurtant sa vitre la fait sursauter. Doucement, elle ouvre sa fenêtre. Michel est là, sur la pelouse, sa haute silhouette bien découpée dans le halo de la lune. Dès qu'il l'aperçoit, il lui envoie un baiser du bout des doigts. Une bouffée d'amour submerge Bellotte et balaie ses dernières hésitations. Il n'y a plus de place ni de temps pour le doute. C'est avec lui qu'elle veut être. Elle lui fait signe qu'elle arrive, qu'elle vole vers lui. L'émotion entre eux est tellement intense que les mots ne sont pas nécessaires. Ils se regardent éperdument. Il est prêt à l'attendre le reste de sa vie. Il l'aime tant!

Mais le regard de Bellotte est soudain attiré par une autre silhouette qui émerge du bois et se profile sans bruit derrière Michel. Elle a du mal à distinguer de qui il s'agit. Elle veut prévenir Michel, mais il est déjà trop tard. Un solide coup de gourdin sur la nuque, et le jeune homme s'effondre sur le sol, le crâne fracassé. Horrifiée, Bellotte reconnaît l'agresseur: Jean Brévelet d'Auray. L'homme jette son arme improvisée sur le sol. Il se penche sur sa victime, la saisit par les pieds et la traîne jusqu'au puits ancien qui trône au milieu de la pelouse. Le corps de Michel est lourd mais les forces de son agresseur sont décuplées par la rage. Le couvercle en fer forgé du puits s'ouvre sans grincer. Il a tout prévu. Quelques efforts supplémentaires lui suffisent pour faire basculer le corps dans le puits. Bellotte entend la vague de nuit qui se referme sur son aimé. Jean Brévelet d'Auray reprend son souffle pendant quelques secondes. Puis il referme le couvercle du puits sans faire le moindre bruit. Sa sinistre tâche accomplie, il lève la tête vers la fenêtre de Bellotte. Elle a tout vu, il le sait. La jouissance morbide qu'il éprouve à ce moment-là est plus forte que tout ce qu'il a pu vivre jusqu'à présent. Il a gagné, rien ne peut lui résister. Comme point final à cette horreur, il place la main sur sa poitrine et salue bien bas celle qu'il vient de détruire. Qu'elle parle si elle l'ose !

Elle n'est pas la seule à avoir tout vu. Sous le toit, cachée dans l'ombre de la lucarne, la petite Jeanne a vécu le drame dans sa propre chair. Le coup de gourdin a retenti dans sa tête et son cœur s'est brisé. Elle en perd le souffle durant quelques minutes. Dès qu'elle se ressaisit, elle attrape au vol une robe de chambre. Elle dégringole les escaliers et se précipite vers la porte des communs. Michel n'est peut-être pas encore mort. On peut peut-être encore le sauver. Mais dans la cuisine, Jean Brévelet d'Auray lui barre le chemin. Il a eu le temps d'achever sa sinistre besogne. Il a récupéré son gourdin de bois. Ce n'est pas une petite souillon de servante qui lui fera obstacle. La petite et le meurtrier se toisent un long moment sans rien se dire. Jeanne recule. Sa vie ne tient qu'à un fil, elle le sait. Son regard se brouille. Elle a peur. Une sorte de pacte silencieux s'établit alors entre eux: si elle ne dit mot, il prendra soin d'elle et de son petit frère. Si elle parle, il la tuera ou la dénoncera comme complice. Il la condamne à une vie de lâcheté et de remords mais il n'en a cure. Vaincue, elle lui tourne le dos et remonte dans sa mansarde, les épaules basses à jamais. L'homme ouvre le grand poêle de fonte où le feu ronronne jour et nuit pour chauffer l'eau du manoir et dépose son gourdin sur les braises. L'ultime trace du drame s'envolera en fumée.

Dans sa chambre, Bellotte est pétrifiée. En quelques instants, sa vie, son avenir, ses espoirs, tout s'est effondré! Ses beaux projets d'avenir ont explosé en même temps que le crâne de Michel. Le choc est tellement brutal qu'elle n'éprouve aucune sensation, comme si tout ce qui l'animait était déjà mort. Pourquoi n'a-t-elle pas crié? Qu'est-ce qui a pu ainsi la paralyser? La peur? Une ultime hésitation? Une dernière lâcheté? Elle est au-delà des mots, à mille lieues des pleurs. Elle est quelque part dans le puits, enlacée au corps de Michel dans l'eau glacée et noire.

Elle ne réfléchit pas Bellotte, elle ne pense plus à rien. Une immense lassitude la submerge. Elle voudrait pouvoir se coucher en boule et mourir, là, sur son lit, mais ce n'est pas suffisant. On ne meurt pas aussi simplement quand on est au printemps de sa vie. Il lui reste une dernière chose à accomplir. Surtout, faire vite... ne pas reculer... la grande écharpe de soie... le petit fauteuil qu'elle traîne sous le grand lustre... dans quelques secondes, tout sera fini... plus rien ne pourra lui faire mal... elle sera en paix... elle aura retrouvé Michel dans un nouveau monde... pour toujours... loin, très loin de cette existence qui n'a aucun sens... loin de ce meurtrier qui la transformera en esclave et dont la vengeance ne sera jamais assouvie...

Je me suis levée de mon siège dès que je l'ai vue, debout sur son fauteuil. J'ai essayé de lui parler, je le jure! «Bellotte, ne fais pas ça! Ta vie ne fait que commencer. De l'autre côté de la peine, d'autres bonheurs t'attendent... je t'en prie... NON!» J'ai tendu les bras vers elle pour l'empêcher de commettre l'irréparable. J'ai tenté de la saisir, de la retenir, mais je n'ai saisi que du vent. Je l'ai suppliée, mais je n'avais pas le pouvoir de modifier les événements du passé. J'ai vu son petit pied repousser le fauteuil et ses deux chaussons verts s'agiter frénétiquement quelques secondes avant de se balancer mollement dans l'air. Tout était terminé. Lorsque j'ai levé la tête vers elle, j'ai aperçu ses grands yeux ouverts qui me fixaient, étonnés d'avoir basculé si vite du côté des ombres, alors qu'elle était encore à l'aube de sa vie. Au même moment, dans le puits, le corps de Michel Longré achevait de s'enfoncer inexorablement dans l'eau sombre.

J'ai repris pied au milieu de cette chambre élégante, devant le portrait de Bellotte, éperdue de sanglots. J'ai bien cru que je ne pourrais jamais m'arrêter de pleurer. Le fantôme ténu d'Isabelle de Bellouan flottait encore autour de moi, présence amicale et infiniment triste. Nous avions partagé l'horreur, le désespoir, l'impossible, à jamais liées l'une à l'autre. Sa fuite éperdue ne lui avait pas procuré la délivrance qu'elle en espérait. Elle n'avait pas réussi à rejoindre son amoureux et à trouver à ses côtés la paix qu'elle espérait. Âme tourmentée et coupable, elle devait expier, lui demander pardon de son ultime silence, de ses hésitations, de ses calculs, de cette lâcheté qui l'avait poussée dans la fuite, au tout dernier moment, et empêchée de le venger. Mais lui, l'âme délivrée de toute souffrance, il avait rejoint depuis longtemps le rivage inconnu des Justes.

Toute l'histoire était là. Bellotte hantait le manoir depuis des décennies, expiant chaque nuit l'horreur de sa mort, de celle de son amant et le peu de confiance qu'elle avait accordée à la vie. Son fantôme égaré cherchait inlassablement son amour dans tous les jeunes hommes de passage qui ressemblaient de près ou de loin à son amoureux disparu, dans l'espoir pathétique et vain d'obtenir son pardon et de vivre enfin sa belle histoire avortée. Mon frère était son dernier espoir en date.

Maintenant, c'était à moi de jouer et de prendre le relais. Je devais délivrer cette fille de ses errances, la libérer de ses tourments. Mais comment m'y prendre? Je me suis souvenue alors de la fontaine aux fées, de l'étang de Viviane où j'avais si bien été accueillie. Avec une ferveur silencieuse, j'ai

supplié mes grandes sœurs de m'aider, de me
montrer le chemin. C'est alors que je les ai enten-
dues. Elles m'ont soufflé ce que j'avais à faire.
C'était si facile! Il suffisait d'un geste et Bellotte
allait enfin trouver le repos. Je me suis intensément
concentrée sur son fantôme. Je l'ai caressé, je l'ai
consolé, je l'ai supplié de ne pas avoir peur. Je lui
ai même demandé de m'aider.

Mais pour cela, il fallait au plus vite qu'on sorte
du manoir.

QUATORZE

Max dormait comme un bienheureux. Tellement dur que j'eus toutes les peines du monde à le sortir du cirage. Il devait être quelque chose comme trois heures du matin. Je l'ai secoué sans ménagement jusqu'à ce qu'il ouvre un œil. J'ai ouvert toutes les lumières pour qu'il se réveille plus vite. Les cheveux en bataille, il a regardé sa montre et a grogné.

— Il est 3 h 24. T'es malade ou quoi?

— Maxou, faut qu'on s'en aille tout de suite. Je sais ce qu'il faut faire. J'ai tout vu. Je te raconterai. J'ai besoin de ton aide.

— Faire quoi? Ça peut pas attendre demain matin? Déjà qu'on doit se lever aux aurores pour prendre le car!

— Non! D'ailleurs, on est déjà demain matin. Allez, grouille-toi un peu! Ce que j'ai à faire, faut que je le fasse en secret avant que quiconque soit réveillé dans cette baraque maudite. Prends mes affaires et retrouve-moi à la porte de la cuisine, celle qui donne sur le parc. Moi, je dois aller chercher quelque chose dans la bibliothèque.

Sans lui laisser le temps de ronchonner davantage, j'ai ouvert la porte en essayant de faire le moins de bruit possible. Mais la maison me guettait. Les maisons aussi exercent un certain pouvoir sur les gens et les événements. Parfois même, elles les provoquent. Je devais me méfier. Quelque part, le manoir sentait que je voulais lui retirer sa sève, son fantôme chéri, son trésor. La porte claqua brusquement derrière moi. Mon cœur fit un bond prodigieux dans ma poitrine et le sang se mit à tinter dans mes oreilles. Je repris mon souffle sur le bord du palier. Une lueur diffuse éclairait l'escalier. La veilleuse s'éteignit dès que je posai le pied sur la première marche, me laissant dans un noir d'encre. Je descendis prudemment les marches une par une, agrippée à la rampe pour ne pas tomber, affolée par l'intense agressivité des lieux qui se retournait contre moi. Dans le vestibule de l'entrée, je pus m'orienter vers la cuisine grâce aux petites fenêtres de côté qui laissaient fuser un mince rayon de lune. Ma main me fit soudain souffrir. Crispée sur la rampe, je m'étais blessée à une improbable écharde, mais il en aurait fallu bien plus pour m'arrêter.

Sur la table de la cuisine, les plateaux des petits-déjeuners étaient déjà préparés pour les hôtes endormis. Tout semblait calme, mais ce n'était qu'une apparence. Je redoublai de prudence en me dirigeant vers la bibliothèque. La porte de la pièce grinça de tout son bois lorsque je la poussai. Je m'empressai de coincer un tabouret tout contre pour l'empêcher de se refermer brusquement. Le paquet de lettres au ruban de soie bleue était là où je l'avais remis, dans le gros bouquin à tranche dorée, à côté des classeurs qui contenaient les vestiges oubliés de la vie d'Isabelle de Bellouan. Si Bellotte quittait à jamais sa maison, il n'y avait aucune raison pour que les lettres qui avaient provoqué la tragédie y restent. J'enfouis le petit paquet dans ma poche.

Fantôme à contre-jour, la haute silhouette de Max m'attendait à la porte de la cuisine. Il avait allumé la lampe-tempête qui restait en permanence près du gros poêle en fonte, à côté d'une boîte d'allumettes. Pas bête. Au moins, on distinguait assez bien ce qu'on faisait. Il portait son sac à dos à l'épaule et traînait le mien de son autre main. Je me sentis réconfortée par sa présence. Tant qu'il était là, il ne pouvait rien m'arriver de mal et je lui souris dans la pénombre. Je me mis à appeler doucement.

— Moussia, Moussia...

— T'as rien de mieux à faire que d'appeler un chat, Isa? me chuchota mon frère avec aigreur. C'est pour ça que tu me réveilles en pleine nuit?

— Laisse faire, Max! Fais-moi confiance, tu vas comprendre dans quelques minutes.

Je sus qu'elle était présente lorsque je sentis sa douceur contre ma jambe. La chatte se frottait contre moi en ronronnant comme un moteur. Je me penchai vers elle et la pris dans mes bras en lui parlant tout bas. Elle savait, elle comprenait tout, cette bête... Elle était prête depuis longtemps et je lui apportais la délivrance. Lorsqu'elle lécha ma main, je sentis sa langue râpeuse nettoyer le sang de l'écharde sur mon doigt. J'ouvris tout doucement la porte de la cuisine et posai la bête par terre après une dernière caresse.

— Vas-y, ma belle! Il est dans le puits. Il est tout près. Il t'attend.

La petite forme blanche hésita sur le seuil de la cuisine. Elle huma l'air un instant, posa ses pattes avec précaution dans l'herbe mouillée de rosée. Elle tourna la tête, vers mon frère et moi, comme pour quêter notre approbation. Puis elle se mit à courir vers le puits. D'un bond, elle sauta sur le couvercle en fer forgé qui obstruait l'ouverture et se mit à gratter le métal en miaulant avec détresse.

Le couvercle du puits! J'avais complètement oublié ce petit détail, contrairement à l'assassin du passé qui avait tout prévu. Je me précipitai vers l'animal.

— Arrive, Max, on doit l'aider!

— J'espère que tu sais ce que tu fais, Isa! C'est complètement cave, toute ton histoire.

— Discute pas! C'est pas le moment!

J'essayai de soulever le couvercle en fer mais il était rouillé par les années et par l'oubli et il demeurait obstinément fermé. Mon frère était toujours planté comme un piquet de clôture, sur le seuil de la cuisine, sa lampe à la main, incarnation suprême de l'incompréhension. Je revins vers lui en quatrième vitesse.

— Trouve quelque chose dans cette cuisine de merde qui pourrait servir de levier... n'importe quoi! Active! Il FAUT ouvrir ce maudit couvercle.

Max sembla sortir de son ébahissement. Embarqué jusqu'au cou comme il l'était dans cette affaire, il sentit que les questions et réponses viendraient plus tard. Je retournai vers la chatte qui grattait toujours, en me cassant plusieurs ongles sur la rouille. Max arriva quelques instants plus tard avec sa lampe et un immense couteau à découper qu'il avait trouvé dans un des tiroirs de la table. Il en inséra la puissante lame sous le couvercle et força ensuite de tout son poids sur son levier improvisé. Le couvercle céda en grinçant et s'entrouvrit centimètre après centimètre. Max coinça alors le couteau à la verticale pour empêcher le couvercle de retomber, dévoilant le trou noir sans fond du puits d'où montait une forte odeur de marécage. On a reculé tous les deux d'un même mouvement. Qu'est-ce qu'elle allait faire, la petite chatte ?

Avec sa souplesse de félin, Moussia se glissa sur la margelle de pierre, dégagée du couvercle. Elle regarda vers nous pendant un court instant, puis elle leva la tête vers la lune. Pour la dernière fois de sa vie, elle respira l'air du ciel et l'odeur des arbres. Elle dit adieu sans regret à tout ce qui l'avait attachée à cet endroit puis elle sauta dans le puits, vers le noir, l'inconnu... On entendit distinctement le bruit de son petit corps heurter l'onde, ainsi que son feulement de protestation lorsqu'elle entra en contact avec l'eau détestée. Quelques bruits de bulles... puis, plus rien. Max avait tenté un mouvement pour l'arrêter, mais je l'ai retenu de toutes mes forces. Son salut était ailleurs !

Presque tout de suite, j'ai senti sur mon visage un souffle chaud et bienfaisant qui m'enveloppa tout entière, comme une onde de soulagement intense. Bellotte et Moussia me remerciaient de la liberté qu'elles venaient de reconquérir, de l'espoir qui leur était enfin permis. Pour conserver une certaine substance, le fantôme tragique du manoir avait besoin d'un ancrage dans le réel et une étincelle de son âme tourmentée s'était réfugiée dans les chattes successives qui avaient peuplé le manoir. C'était leur énergie d'êtres vivants qui l'animait. Combien y en avait-il eu de ces petits otages du chagrin et de la culpabilité d'Isabelle ? Impossible de le savoir. Je leur fis mes adieux à toutes, en souhaitant que l'amour de Michel les guide sur leur route.

Une lumière s'alluma dans le manoir, au rez-de-chaussée, dans les quartiers de madame Brévelet. On avait quand même fait pas mal de bruit.

— On fait quoi maintenant ? Tu comptes lui dire quoi à madame Brévelet pour lui expliquer tout ce bordel ? me chuchota Max très énervé.

— On referme le couvercle du puits et tu reportes le couteau et la lampe à la cuisine. Et après, on sacre notre camp d'ici vite fait ! C'est simple ! On n'a rien à lui expliquer, à cette bonne femme.

Sans faire de commentaires, Max galopa jusqu'à la cuisine et revint en moins d'une minute, traînant nos deux sacs à dos pendant que je pesais de tout mon poids sur le couvercle de fer pour clore à jamais la tragédie.

— Bon alors, on se pousse vers la grille d'entrée?

— Pas par là. Monsieur Longré ferme la grille tous les soirs. Faut qu'on trouve la brèche du mur.

— La brèche? Quelle brèche?

Il lui en manquait des bouts, à Max, mais je n'avais vraiment pas le temps de faire une mise au point. Me fiant à mon repérage des jours précédents, je m'engageai résolument vers le refuge obscur des grands arbres qui bordaient le mur d'enceinte de la propriété. Sur mes talons, Big Max me suivait en trébuchant tout en traînant nos sacs, en sacrant comme un bûcheron.

Juste au moment où on rejoignait la protection de l'ombre, la lumière se fit dans la cuisine. La silhouette de madame Brévelet se découpa dans la porte. Je ne saurais jamais si elle avait compris ce qui venait de se passer. Tout avait l'air normal. Sauf la lampe-tempête qui était restée allumée dans la cuisine et l'absence inexplicable de sa chatte blanche. Qu'a-t-elle bien pu penser de notre fuite nocturne ? Savait-elle, cette dame si distinguée, que son père était un meurtrier ? Connaissait-elle toute l'histoire du fantôme dont elle partageait la maison ? Dans quelle mesure avait-elle entretenu l'errance d'Isabelle ? Dans chaque histoire, il y a toujours des questions qui restent sans réponses. Dommage !

On aurait pu tâtonner bien longtemps dans cette noirceur presque totale avant de situer la brèche du mur. Après tout, je n'avais qu'une idée approximative de l'endroit où elle se trouvait. Mais soudain, la lueur bienveillante d'une lampe de poche se mit à clignoter devant nous. Quelqu'un nous guidait. Max grimpa sur l'éboulis le premier. Il balança nos sacs de l'autre côté du mur et me tendit la main pour m'aider à passer. Une branche de ronce s'attacha à ma chemise. Le manoir essayait une ultime fois de me retenir ou de me blesser. C'était dérisoire !

Je sautai sans voir où j'allais atterrir et me retrouvai dans les bras de monsieur Longré. Je me doutais bien que c'était lui qui se trouvait dans le champ de trèfle. Le vieil homme me serra dans ses bras un bref instant, me communiquant sa chaleur et son calme. Je me sentis soudain complètement vidée.

— Venez ! Suivez-moi...

— Où ça ? demanda Max.

— Au village. Chez Aliette. Je l'ai prévenue que vous arriveriez en pleine nuit.

— Ah, bon! Prévenue de quoi? chevrota Max.

Comme à son habitude, monsieur Longré ne répondit pas. Ce n'était pas nécessaire. Il m'avait prise par le bras et m'aidait à cheminer dans les sillons irréguliers du champ de trèfle. À un moment donné, je sentis vaguement la route sous mes pieds, mais je ne me rappelle plus du tout avoir marché jusqu'au village. Avec ses lampadaires écolos qui s'allumaient dès qu'ils détectaient nos mouvements et ses maisons endormies, Ménéac avait tout à fait l'air d'un village français tranquille et banal... mais qui savait fort bien cacher ses secrets.

Monsieur Longré avait la clé. Il ouvrit la porte de la maison de sa petite-fille, juste à côté du bar-tabac, au 28, si je me rappelle bien. On se retrouva tous dans l'arrière-boutique et on passa directement dans la cuisine d'Aliette. Je m'écroulai sur une chaise, complètement lessivée par la tension qui commençait à me lâcher.

Dès qu'elle nous entendit, Aliette sortit de sa chambre, en chemise de nuit. Elle regarda son grand-père qui hocha la tête. Ils échangèrent un message muet. Ensuite, elle s'approcha de moi, et prit mes deux mains glacées dans les siennes.

— Alors? Alors, qu'est-ce qui s'est passé? Qu'est-ce que vous avez fait?

Je la regardai misérablement. Je me sentais incapable de parler de tout ce que je venais de vivre. Pourtant, je devais la vérité à ces braves gens qui l'attendaient depuis si longtemps.

— Aliette, fais-nous du café. Tu vois bien qu'elle a besoin d'un petit remontant.

Aliette s'activa devant son poêle et, au bout de quelques minutes, l'odeur enveloppante du café filtre me redonna un peu de couleurs. Max s'était installé lui aussi sur une chaise, regardant tout autour de lui avec curiosité, super réveillé. Monsieur Longré ouvrit la porte d'un bahut et en sortit des petits verres ornés de fleurs et une bouteille poussiéreuse. Un calvados de derrière les fagots qu'il gardait pour les grandes occasions. C'était le moment où jamais de le déguster. Je vis les yeux de mon frère se remplir de larmes lorsqu'il se risqua à avaler une gorgée du nectar de pommes et ses joues devinrent rouge brique: soixante-cinq degrés d'alcool, il y avait de quoi flipper!

Un carré de sucre imbibé de calva et le café fort et sucré d'Aliette me remirent les idées en place. Tous les yeux étaient fixés sur moi mais personne n'osait briser le silence. Tout comme Moussia l'avait fait, je sautai à l'eau.

— Il était... il était dans le puits...

— Qui ça? demanda Max.

Les deux Longré avaient déjà compris. Aliette étouffa un petit cri en posant ses deux mains sur sa bouche.

— Tout ce temps... il était là... et on n'a jamais su, on n'a jamais rien compris, on n'a rien deviné, soupira monsieur Longré. On n'a pas cessé de l'attendre pendant des années. On ne s'est jamais résignés à sa perte. On cherchait des explications bien compliquées alors que la vérité était à notre portée.

— Comment ça s'est fait? demanda Aliette d'une voix tremblante.

— Mais de qui vous parlez? redemanda Max avec insistance.

Et là, je leur ai raconté tout. Enfin presque! Il y avait des choses que je ne pouvais pas leur dire. Je reconstituai pour eux le drame. Le dernier billet de Michel que Jean Brévelet d'Auray avait lu «accidentellement», son intense désir de vengeance, le rendez-vous du dernier soir, les hésitations et le choix final de Bellotte, l'attente du jeune médecin près de la brèche du mur, les coups de gourdin, le corps balancé dans le puits, la panique que Belotte avait ressentie et son désespoir... ses derniers moments : le lustre de cristal et la longue écharpe de soie blanche... et même le geste final de l'assassin posant son rondin de bois sur les braises du poêle. Bien entendu, je ne dis mot de la petite servante blonde qui avait vécu le drame à sa façon et l'expiait depuis si longtemps. Je n'étais pas là pour l'accabler davantage.

Lorsque je me tus, le silence était à couper au couteau dans la cuisine. Mon frère le brisa. Il me regardait avec des yeux exorbités, comme si c'était la première fois qu'il me voyait.

— Isa, t'as VU tout ça ? Mais comment c'est possible ?

— J'en sais rien, Max. Je vois des choses inexplicables depuis que j'ai mis les pieds dans cette maison. Je sais pas pourquoi, ni comment... Je crois que j'ai... des dons.

— Et la chatte ? Tu savais qu'elle allait sauter dans le puits ?

— Cette bête, elle était bizarre, imprévisible ! Je me doutais bien qu'il y avait un lien entre elle et Bellotte. Chaque fois que j'entrais en contact avec le fantôme, la chatte était là, quand je reprenais pied dans la réalité. Je sais, c'est irrationnel... mais c'est comme ça ! J'ai eu... une intuition, c'est tout !

Monsieur Longré frotta ses joues rugueuses de barbe d'un air perplexe.

— J'ai toujours su que le fantôme de la jeune fille hantait la maison et aussi qu'il y avait autre chose d'encore plus mystérieux. Mais je n'aurais jamais imaginé qu'il pouvait y avoir un rapport avec la chatte blanche. Au fil des ans, on a vu et entendu bien des ragots au sujet de cette chambre. Des gens s'y sont blessés ou ont été victimes d'incidents inexplicables, toujours des jeunes hommes dans votre genre, Max. Toujours des «accidents» imprévisibles. Comme si le fantôme voulait les entraîner dans son monde. Bellotte n'était pas vraiment malfaisante, mais sa présence était suffisamment troublante pour causer des traumatismes aux cœurs sensibles

— Mais vous, monsieur Longré, pourquoi êtes-vous demeuré si longtemps au manoir?

— D'une certaine façon, je me sentais concerné. Je savais ce que ma sœur nous avait raconté au sujet du dernier rendez-vous raté, mais je me suis toujours douté qu'elle ne disait pas tout. Je crois bien que j'espérais découvrir la vérité moi-même. Je pensais aussi que ma présence pourrait être utile pour limiter les dégâts si Bellotte devenait dangereuse. Voilà pourquoi je suis resté toutes ces années à mon poste de gardien jardinier...

— Et c'est pour ça que vous m'avez dit de sortir mon frère du manoir au plus vite, le lendemain de notre arrivée ?

— Bien sûr ! Mais à ce moment-là, je ne savais pas encore QUI vous étiez, jeune damoiselle.

— QUI je suis ?

— On vous attendait depuis longtemps. On espérait que quelqu'un viendrait dénouer les fils de cette histoire puisqu'on n'était pas capables de le faire nous-mêmes. Mais on n'aurait jamais pu deviner que ce serait une petite fille de l'autre côté de la mer.

Le vieillard me sourit. Il y avait un amour et un respect infinis dans ses yeux. Mon frère se mit à grouiller comme un ver de terre sur sa chaise.

— Hé, ho ! Il y a tout de même un truc qui colle pas. Toute cette histoire s'est passée en 1928, non ? Et vous allez me faire croire que cette chatte a vécu tout ce temps-là ? Un chat, ça vit pas plus de quinze ou seize ans... et ça fait plus de quatre-vingts ans que Bellotte s'est suicidée ! C'est complètement nul ! Je sais bien qu'on nage en plein délire fantastique mais faudrait tout de même pas dérailler à ce point-là !

— T'as bien raison, Max ! Logiquement, ça tient pas du tout la route. Mais il y a bien d'autres choses qui sont inexplicables. D'après moi, la seule explication à peu près rationnelle qu'on puisse avancer c'est que Bellotte a dû squatter toute une ribambelle de chats.

— Vous avez raison, répondit monsieur Longré après un petit temps de réflexion. À ma connaissance, il y a toujours eu des chats au manoir, des chattes pour être plus précis. Ce ne sont pas les souris qui manquent dans cette grande maison. Mademoiselle de Bellouan, enfin l'étincelle d'elle qui survivait, a dû s'incarner successivement dans les générations de chattes qui se sont succédé chez madame Brévelet. Comme explication, ça vaut ce que ça vaut!

— Tout de même, c'est capoté comme fin de voyage, grommela Max le nez plongé dans son bol de café.

— Mais vous, monsieur Longré, vous n'avez jamais rien pu faire?

— Je suis resté en sentinelle pour limiter la casse, comme je vous l'ai dit, mais je n'ai jamais pu accéder au manoir lui-même.

— Jamais? Vous n'êtes jamais entré dans la maison?

— Enfin si... une seule fois et j'ai bien failli y laisser ma peau. J'avais vingt-deux ans, juste après la guerre. Monsieur Jean m'avait fait appeler dans la bibliothèque pour je ne sais plus quelle raison. C'est là qu'il avait installé son bureau. Vous savez, les patrons et les domestiques, c'était un peu moins copain-copain qu'aujourd'hui. On restait chacun à sa place de son côté de la barrière. Y'avait aucune possibilité de familiarité. Toujours est-il que lorsque je suis entré dans la maison, une sensation d'étouffement intense m'a serré la poitrine. Je suis parvenu jusqu'à la bibliothèque mais lorsque j'y ai mis les pieds, tout s'est obscurci, comme si la nuit tombait. J'ai vu des formes floues derrière la vitre et, avant de comprendre ce qui m'arrivait, je me suis écroulé comme une masse. Vlan! On m'a sorti de là au plus vite. Tout le monde a pensé que je faisais une crise cardiaque. J'ai repris mes esprits dès que je me suis retrouvé dehors. Personne – moi le premier – n'a jamais rien compris à ce malaise car j'étais en pleine santé. Et je n'ai jamais remis les pieds dans la maison.

Je comprenais très bien ce qui lui était arrivé. Tout comme moi, ce vieux monsieur avait certains dons. En se concentrant, il aurait pu voir ce que j'avais vu dans l'écran de la fenêtre de la bibliothèque. Mais il en avait été empêché. Par qui, par quoi? Mystère! Je préfère croire que c'était son amour pour sa sœur Jeanne qui l'avait arrêté. Je l'ai regardé en souriant et je lui ai envoyé un message silencieux: «Ne vous inquiétez pas! Ce n'était pas nécessaire que vous alliez plus loin.» Le vieillard a hoché la tête. Contrairement à moi, il n'avait jamais souhaité approfondir ou utiliser les pouvoirs qui sommeillaient en lui. C'était sa décision, sa liberté. Peut-être aussi qu'il avait eu peur de l'inconnu ?

Un silence habité par les réflexions de chacun s'installa dans la pièce, rythmé par le tic-tac d'une antique horloge à balancier. En levant les yeux de ma tasse vide, je réalisai qu'une des portes donnant sur la cuisine était entrebâillée. La vieille dame était derrière. Je sentais sa présence parmi nous. Elle avait tout entendu.

Je me suis levée lentement et je suis allée vers elle puisqu'elle m'attendait. Je suis entrée dans sa chambre et j'ai refermé la porte derrière moi. Ce que nous avions à nous dire, elle et moi, ne regardait personne d'autre.

Elle était assise dans son lit. Petite et misérable, comme une branche desséchée abandonnée sur la blancheur des draps. Ses épaules maigres pointaient sous le châle de mohair mauve qui tentait de la réchauffer. Elle grelottait. Tout son corps était agité de spasmes. Elle avait peur... une peur immonde qui venait du passé et dont elle n'avait jamais pu se libérer.

Je me suis assisse à côté d'elle et je l'ai prise dans mes bras. Elle était décharnée, pas plus grosse qu'un oiseau blessé. Une petite natte de cheveux blancs pendouillait dans son cou. Une odeur aigre de vieille femme usée enveloppait tout son corps, me jetant au bord de la nausée.

Dès que je l'ai touchée, j'ai ressenti tout ce qu'elle avait vécu. Son chagrin, sa culpabilité, sa rage, l'horreur totale qui l'avait submergée lorsqu'elle avait trouvé Bellotte pendue au lustre de sa chambre... la colère qu'elle avait retournée contre elle-même... toutes ces années de désarroi où elle n'avait su quoi faire, qui choisir, où elle espérait vaguement une vengeance ou une revanche que la vie ne lui avait jamais apportée. Où elle s'était tue par lâcheté et par crainte de représailles jusqu'au décès de l'assassin, par ignorance de ce qu'il fallait faire ensuite. Elle avait vécu sans amour, sans passion, entièrement tournée vers une minuscule survie, imperméable à la tendresse, à la douceur. Assise près de la fenêtre, elle m'avait attendue sans le savoir. Elle avait compté le temps, égrené les heures, les jours et les mois en regardant les autres rire, aimer, pleurer et tracer leurs chemins de vie. Elle, elle n'avait rien eu, elle n'avait rien voulu. Toutes ces années gâchées, c'était la punition qu'elle s'était imposée.

Une immense compassion broyait mon cœur. C'était atroce et incroyablement douloureux. Tout d'un coup, de l'épicentre de cette tristesse, j'ai senti comme un choc, un élan puissant, une sorte de vague incontrôlable qui montait en moi comme une eau impalpable remplie de force. Je ne sais pas très bien comment j'ai fait, mais j'ai laissé sortir ce fluide invisible de mes mains et j'en ai baigné le vieux corps ravagé.

Jeanne s'est laissée aller. J'ai senti ses mains et ses pieds se réchauffer. Elle a posé sa tête sur mon épaule. Sans que j'aie besoin de parler, nous nous comprenions très bien. J'ai réparé comme j'ai pu les ravages de son âme. Je l'ai bercée dans mes bras. Je l'ai assurée que jamais personne ne connaîtrait son secret. Je lui ai répété qu'elle avait été le jouet du destin et qu'elle avait payé beaucoup trop cher son désir bien légitime d'être protégée et que, malgré tout, elle avait été bien plus courageuse que Bellotte qui s'était pendue. Elle avait fait ce qu'elle avait pu avec les moyens dont elle disposait. Le temps des regrets et des chagrins était terminé. Il fallait qu'elle s'ouvre à la paix et qu'elle cesse de se torturer. J'ignore si tout cela était possible. Mais j'ai fait ce que j'ai pu.

Très doucement, je l'ai recouchée dans son lit et j'ai rabattu l'édredon de plumes sur elle pour prolonger son bien-être. J'ai sorti le petit paquet de lettres de ma poche et je l'ai glissé dans sa main. Il lui appartenait. Personne ne connaissait mieux qu'elle le poids des mots qu'il contenait. J'ai déposé sur ses lèvres un baiser de paix. Le visage apaisé, les rides de son front presque lissées, Jeanne Longré me regardait intensément. Elle leva la main vers moi et caressa ma joue. Je l'ai serrée une dernière fois dans mes bras, lui communiquant tout ce qu'il me restait de chaleur. J'allais partir dans quelques instants et nous ne nous reverrions jamais. Elle a fermé les yeux et s'est laissée couler dans le sommeil. Tout doucement.

La porte de la chambre était entrouverte. Sur le seuil, monsieur Longré me regardait avec un air bizarre que je ne peux définir autrement que comme... émerveillé...

— Consolante! Tu es une Consolante! Tu n'imagines pas à quel point tu es rare et précieuse. Tu as le don, le pouvoir... le privilège d'aider ceux qui sont en détresse, de les comprendre et de les consoler...

— Vous... vous croyez? Comment vous savez?

Comme à son habitude, il ne répondit rien. Il en connaissait un peu plus que je le pensais et ne voulait pas m'accabler. Mais je pouvais deviner ce qu'il évitait de me dire. J'avais peut-être le pouvoir de consoler le chagrin des autres, mais j'avais aussi celui de ressentir leurs faiblesses, leur désespoir, leurs doutes et leurs peurs, tout le côté sombre et inavouable que chacun porte en soi... Ce don qui me tombait du ciel m'épouvanta soudain et je me sentis écrasée par tout ce qu'il sous-entendait. Je n'en voulais pas!

Et puis, je me sentais tellement fatiguée, tellement lasse. Je n'aspirais qu'à une seule chose : rentrer chez nous à Montréal-Québec-Canada, de l'autre côté de la mer, retrouver notre paisible bungalow, réintégrer notre vie sans histoires, protégée par mes parents et mon Big Max qui veilleraient sur moi, et éviter autant que possible tout ce qui dérapait vers l'étrange.

Avec tout ça, l'horloge avait tourné très vite. Six heures quarante-trois! Nous entendîmes l'autocar s'engager au bout de la rue. Comme personne n'était en vue devant le bar-tabac, le conducteur passa tout droit devant la porte. Six heures quarante-cinq! Le bruit de l'engin se perdit en échos de plus en plus lointains dans les petites rues de Ménéac. C'était le comble! La cerise sur le gâteau!

QUINZE

On venait de manquer notre autocar, c'était l'évidence! Max me regardait complètement catastrophé. Comment faire maintenant pour rejoindre l'aéroport de Nantes qui se trouvait à deux bonnes heures d'autoroute? Il fallait d'urgence trouver une solution de rechange, notre embarquement étant prévu pour 11 h 30.

Monsieur Longré se leva lestement en regardant sa petite-fille.

— Je vais chercher la Renault au manoir. Tu peux les conduire à Nantes?

— Certainement, papi! Je m'habille tout de suite. On peut partir dans une petite demi-heure au plus tard.

— Monsieur Longré, vous êtes sûr... commencé-je.

— Accepte notre aide, jeune damoiselle. Nous te serons à jamais redevables du soulagement que tu viens de nous apporter. La petite voiture que vous avez vue au manoir, elle est à moi. Je ne prends rien à personne. Et puis, je vais en profiter pour réunir les quelques affaires qui m'appartiennent dans la loge de l'entrée et les ramener ici.

— Vous ne voulez plus travailler au manoir? demanda Max.

— Je ne vois pas pourquoi j'y resterais, Max. Et puis, il est peut-être temps que je songe à ma retraite, vous ne croyez pas?

Le vieil homme se redressa de toute sa taille en disant ces mots, des pétillements de joie dans les yeux, les épaules délivrées d'un fardeau. D'un pas allègre malgré son boitillement, il se dirigea vers la porte. Une bouffée d'aurore s'engouffra dans la pièce lorsqu'il l'ouvrit et j'eus le temps d'apercevoir le ciel rose de la belle journée qui commençait.

Max se versa un nouveau bol de café et vida l'assiette de petits biscuits chic qu'Aliette avait posée devant lui. Moi, j'avais la gorge tellement serrée qu'il m'aurait été impossible d'avaler une miette. Après une brève incursion dans sa chambre,

Aliette revint vers nous habillée d'un jeans et d'un chandail léger, un sac en bandoulière sur l'épaule, les cheveux brossés à la va-vite. Elle rassembla nos bols dans l'évier et essuya machinalement la table.

— Vous savez, Isabelle, mon grand-père, il est un peu comme vous. Il sait des choses, des secrets... qui ne sont pas donnés à tout le monde. Je crois qu'il vous aime beaucoup. Je l'ai vu !

Je souris sans rien dire. Alain Longré était mon premier guide. Il m'avait ouvert une porte et il m'avait placée sur le sentier des connaissances, comme le gardien qu'il n'avait jamais cessé d'être, comme un professeur, en évitant le plus souvent de répondre verbalement à mes questions. Avec lui, seul élément stable et rassurant dans le monde inconnu où je venais de m'aventurer, j'avais fait le bout de chemin le plus difficile. Je ne le connaissais que très peu, mais il allait me manquer terriblement ! Aurais-je l'occasion de rencontrer d'autres guides qui me conduiraient plus loin, avec autant de gentillesse, de respect et de fermeté ?

Le bruit de la Renault fit jaillir Max sur le pas de la porte, traînant avec lui tout notre barda de jeunes touristes. Il se tâta la poitrine pour s'assurer que la pochette qui contenait nos billets d'avion et nos passeports était bien à sa place puis se mit à faire de grands moulinets de bras lorsqu'il aperçut la voiture tourner le coin de la rue, comme si le conducteur ne savait pas où s'arrêter. Un peu ridicule, le frangin, mais il fallait bien qu'il exprime à sa façon l'inquiétude qui le taraudait à l'idée qu'on puisse manquer l'avion.

Tout doucement, j'ouvris la porte de la chambre de Jeanne. La vieille dame n'avait pas bougé d'un millimètre depuis que je l'avais quittée. Elle dormait paisiblement, bien au chaud sous son édredon, le cœur enfin apaisé. Finalement, je n'avais pas mal manœuvré du tout et cette pensée me rasséréna un petit peu.

Aliette s'installa au volant. Monsieur Longré sortit de la voiture deux grosses boîtes de carton qu'il déposa dans la cuisine. Max les remplaça par nos sacs qu'il jeta dans le coffre dont il referma le hayon. Le vieillard donna une grande tape sur l'épaule de mon frère qui lui serra la main avec vigueur.

— Salut Max, et bon voyage! Prenez bien soin de votre petite sœur. Elle est spéciale!

— Ah! ça, je sais, je sais... encore plus que vous pouvez le penser. Ha! ha! répondit mon frère avec un petit rire stupide.

Big Max casa ses longues jambes sur le siège du passager, à côté d'Aliette. Monsieur Longré ouvrit pour moi la portière arrière. Je redoutai de le quitter.

— Vous ne venez pas avec nous, monsieur Longré?

— À quatre dans ce tas de ferraille, on risque d'être un peu serrés. Et puis, il faut bien que quelqu'un ouvre le bar-tabac et s'occupe de mémère Jeanne.

— Monsieur Longré, une dernière question. Selon vous, madame Brévelet, qu'est-ce qu'elle savait de tout ça?

— À mon avis, pas grand-chose. Tout ce drame s'est passé bien avant sa naissance. Et elle a peu connu son père. Je crois cependant qu'elle connaissait le fantôme et qu'elle avait accepté sa présence dans sa maison. Et peut-être aussi que Bellotte avait une certaine emprise sur elle. On ne saura jamais! Dans toutes les histoires, certaines questions restent sans réponses. L'âme humaine contient autant d'ombre que de soleil.

Pour une fois qu'il répondait à une de mes questions, ça valait la peine!

— Ah! Bien! Alors, au revoir et merci pour tout...

Mon vieux guide sentit ma détresse. Il me cacha dans ses bras et me serra fort contre lui en chuchotant à mon oreille:

— N'aie pas peur, petite sœur ! Tu ne seras jamais seule. ELLES t'aideront chaque fois que tu le leur demanderas. Et puis, où que tu ailles, tu reconnaîtras les tiens, les bons tout autant que les infâmes. Il faudra que tu apprennes à les différencier. Ta vie ne sera pas de tout repos mais tu possèdes le vrai pouvoir, celui que tout le monde désire, celui de naviguer entre les mondes. Ne fais pas comme moi qui n'ai jamais vraiment osé. Fonce ! Et utilise tous les dons qui dorment encore en toi. Ne doute pas un seul instant que tu es privilégiée. Adieu, petite sœur !

— Adieu, monsieur Longré. Est-ce qu'on se reverra ?

Le vieillard me sourit une dernière fois. Il referma la portière sur moi. La voiture s'ébranla. Mes yeux rivés aux siens, je l'ai regardé le plus longtemps possible, m'imprégnant de sa haute silhouette encore solide, plantée sur le bord de la porte, dans ce petit village qui s'éveillait. Le fil ténu qui nous reliait se cassa lorsque l'auto tourna au carrefour qui menait à la route départementale.

J'ai sommeillé durant les deux heures que nous avons mis pour rejoindre Nantes et son aéroport. J'entendais vaguement les voix d'Aliette et de Max qui discutaient avec animation, mais je serais bien incapable de dire de quoi ils parlaient. La voiture nous arrêta devant la porte des départs, juste à temps pour notre embarquement. Max remercia Aliette avec effusion en promettant de lui envoyer un message dès que nous serions rendus chez nous. Il empoigna nos deux sacs et se dirigea à grands pas vers le comptoir, sans m'attendre.

Sur le trottoir, Aliette m'embrassa sur les deux joues comme du bon pain. Elle était aussi chaleureuse que son grand-père et je lui en fus reconnaissante. Juste avant de remonter dans sa voiture, elle ouvrit son sac et me tendit une petite boîte, emballée dans une pochette de papier.

— C'est pour vous, Isa. Une petite chose qui a appartenu à Bellotte. Je l'ai trouvée dans les affaires de mémère Jeanne, il y a bien longtemps. Ça vous fera un souvenir de votre passage parmi nous ! Mille mercis, petite. Vous avez rendu la paix à toute notre famille, pas seulement à Jeanne. On va enfin pouvoir tourner la page !

Je l'ai regardée partir, le petit paquet à la main. Elle avait raison, la page était tournée. Dans le hall de l'aéroport, Max me faisait signe de me dépêcher. Nos deux sacs à dos étaient déjà partis se balader sur le tourniquet. On passa sans encombre la douane. Un tampon rouge sur nos passeports neufs et nous étions presque de retour à la maison. Dans la salle d'attente, je me dirigeai tout de suite vers les toilettes des dames. Et là, dans l'abri d'une cabine anonyme, j'ai ouvert le paquet. Dans un écrin de cuir rouge, aux arêtes élimées par le temps, je découvris avec ravissement un très joli collier de minuscules perles d'eau douce, interrompues à intervalles réguliers par de petites billes d'or jaune. Un bijou de petite fille, tout simple et tout mignon, que j'accrochai tout de suite à mon cou. Je n'avais pas à savoir comment ce bijou avait atterri dans les affaires de Jeanne. Je l'imaginais assez bien. L'important était que ce cadeau qui me venait du passé avait orné le cou de Bellotte. C'était tout à fait symbolique que cette petite chose me revienne. Bellotte elle-même me confiait ce collier qui avait éclairé les belles journées de son enfance.

Dans la cabine de l'avion, on s'installa à l'avant, moi près d'un hublot, un siège libre entre Maxou et moi. En la regardant droit dans les yeux, j'avais demandé à l'hôtesse qu'elle nous accorde ces sièges puisqu'ils étaient libres, même si ce n'était pas ceux-là qui étaient indiqués sur nos cartes d'embarquement. Elle avait tout de suite accepté en détournant très vite son regard du mien.

Lorsque l'avion s'est envolé, je me suis sentie triste de quitter la Bretagne. Les nuages du ciel firent écho à ceux qui obscurcissaient mes yeux, mais lorsque nous voguâmes dans le bleu, mon cœur était encore endeuillé de gris.

Max m'attendait de pied ferme, bien bouclé dans son siège, les bras croisés sur sa poitrine, des questions plein les yeux. J'ai partagé avec lui tout ce que je pouvais, tout ce qu'il pouvait comprendre et accepter. J'ai tu l'épisode de la fontaine et le secret de Jeanne, mais je crois lui avoir donné des précisions sur tout le reste. Je lui ai aussi confié ma peur de l'inconnu, de tous ces nouveaux pouvoirs qui me permettaient de sonder l'âme des gens, d'infléchir leur volonté propre comme je venais de le faire avec l'hôtesse... J'ai senti sa perplexité, son incertitude et l'onde de scepticisme qui s'installait en lui. Je comprenais ce qu'il ressentait. Je ne lui en voulais pas. Nous avions toujours été si proches et, là, c'était comme si un fossé profond s'ouvrait entre nous. Il s'en rendit compte et il essaya de redresser la barre à sa façon.

— C'est un peu dingue, Frangine, cette fin de voyage, mais c'est plutôt original, non ! Et puis, y a rien de changé entre nous, pas vrai ? Tu restes mon meilleur copain !

Il fallait y croire. Moi, je savais que la faille allait s'agrandir, qu'il y aurait des jours d'incompréhension, des malaises, des colères, des événements que nous ne verrions plus du tout de la même manière. Mais j'étais convaincue que mon Big Max resterait fidèle à notre complicité. Que je pourrais toujours compter sur lui. Qu'il ne serait jamais très loin, toujours prêt à m'aider et à me ramener sur la terre ferme si je planais trop haut. Comme un garde du corps et de l'âme. À la vie, à la mort!

Un sommeil bienfaisant m'a enveloppée et je me suis retrouvée dans la bulle chaude que j'avais soufflée autour de mémère Jeanne. Tranquille et immobile, la vieille dame s'y reposait mais elle n'était pas seule. Impalpables, lumineuses, douces comme des caresses de plumes, d'autres présences occupaient cet espace. «Tu as bien travaillé, petite sœur!» Reconnaissante à ces mains invisibles qui lissaient mon front, je laissai derrière moi tous ces chagrins qui n'étaient pas les miens et je réintégrai ma propre vie.

À Montréal, nos parents nous attendaient à la porte et ils nous accueillirent avec des cris de joie et un bouquet de ballons. On était de retour sains et saufs. Sans nous, le temps leur avait paru bien long. Maman fronça les sourcils d'un air interrogateur lorsqu'elle vit le collier à mon cou. Je répondis à sa question muette.

— Je te raconterai, m'man !

Mais au fond de moi, je savais que je n'en ferais rien.

NOTE DE L'AUTEURE

Le Manoir de Bellouan dont je me suis inspirée pour ce roman existe bel et bien. C'est une charmante et vénérable maison qui reçoit des touristes, près du petit village de Ménéac, en Bretagne. Il y a plusieurs années, j'y ai séjourné quelques jours en compagnie d'une de mes amies d'enfance, et nous y fûmes très bien reçues. Nous avons même dormi dans la chambre de Bellotte. Bien sûr, j'ai un peu modifié l'agencement des lieux pour les besoins de mon intrigue. Y aurais-je, par hasard, rencontré le fantôme d'Isabelle de Bellouan? Ça, c'est une autre histoire! Tu me permettras, ami lecteur, de garder pour moi certains petits secrets. Mais c'est là que les personnages d'Isa et de Max sont arrivés dans ma vie et ont pris par la suite tant de place.

Pour décrire le destin tragique de Bellotte, je me suis inspirée de celui de la danseuse Isadora Duncan (1878-1927). Dans sa version «officielle», la mort d'Isabelle peut paraître invraisemblable, mais c'est pourtant ce qui est arrivé à la célèbre chorégraphe, étranglée par son foulard en quelques secondes.

TABLE DES MATIÈRES